第一章　先達への挽歌

ザ・政治部記者 早野透

望月　先週でしたか（２０２２年11月5日）、ＹｏｕＴｕｂｅチャンネル「デモクラシータイムス」の「３ジジ放談」で、佐高さんとずっと共演されていた早野透さんが突然亡くなったのですね。

佐高　一昨日、弔問してきましたけれども。「死ぬ、死ぬ」とずっと言っていたから、私もまだ正直言って実感がないね。またかと言ってはあれだけれども、私も同い年ですから。告別式で弔辞を読まなくてはならないのですけれども、泣かずに読めるかということが課題です。

望月　早野さんと言えば、『佐高信評伝選』の中にも入っている田中角栄に食い込んでいましたね。

佐高　そう。早野は東大法学部の丸山眞男のゼミで、優等生中の優等生。普通だったら優等生は、田中角栄に興味を持たないわけですよ。だから、朝日新聞で田中角栄を取材したいと言ったら、ほかの優等生からは驚かれたみたいですね。

早野の名言に「戦後の日本の民主主義というものは、上半身は丸山眞男が担い、下半身は田中角栄が支えた」というのがある。これは早野ならではであり、早野以外には言えないようなせりふ。いわば、丸山眞男の理念を田中角栄が肉体化したのだと。

望月　早野さんは、自ら角栄に食い込むために新潟支局を希望して行ったということでしたね。

佐高　あまりエリートはそういうことしないね。だから、早野は本当に新聞記者で、社長になるとかいう野心を持ってないんですよ。

望月　そういう人が政治部にたくさんいるようなのが朝日新聞のイメージですけれども、当時珍しかった。

佐高　そこを断念するのはやはりすごい。早野と同期の秋山耿太郎《こうたろう》という人が社長になるわけだけれども、早野は「そういうほうは秋山に任せる」とすぱっと言える。

早野と私の共著というのが3冊ある。『丸山眞男と田中角栄』、それから『国権と民権』、もう一つが『寅さんの世間学入門』というもの。『寅さんの〜』は、渥美清演ずる寅さんに、私と早野がすごく惹かれて、「デモクラシータイムス」で何回か縦横にしゃべった本。この本を早野が亡くなってから読み返したのです。早野と私のやりとりというのは、「夢路いとし喜味こいしの漫才みたいだ」と言われて。望月さんは、夢路いとし喜味こいしを知らないよね。

望月 知らないですね。

佐高 どっちかというと私がツッコミになるんだよね。向こうがボケなんだけれども、ボケのほうが難しい。

望月 そうですね。技術としては確かに。

佐高 それで私が突っ込むと、「また話が飛んだな」とか言いながら早野が回すんだよ。いつか、「また『寅さんの世間学入門』読み返したよ」と早野に言ったら、早野も「私もこの間読み返したんだよ」とか言っていたのだけれども、そのやりとりで笑う。ところが、今度は笑えないよね。読み返しても笑えない。そんな感じはありますね。

望月 そばにずっと近くでいた盟友が一人去ってしまったという寂しさが、じわじわこれから来るのかなという感じですね。

佐高　そう。漫才は一人ではできない。相方ですからね。

望月　すみません、なんかちょっとしんみりさせてしまった。私もショックだったのですけれども、佐高さんは常に気丈ではないですか。岸井成格《しげただ》さんが亡くなったときも私とやりとりしていて、「まあ仕方ないな」という。ただ、岸井さんの場合はがんに冒されてじわじわと逝ったので、ちょっと心の準備ができたのかなと。早野さんに関しては、まさかというところがあったから、受け止めきれないしんどさがありますよね。

佐高　もう一つは、岸井にしろ、早野にしろ、戦って、早野はちょっと早く疲れてしまったけれども、岸井や早野が戦った相手が必要以上に元気でいるわけだから、悲しんでばかりもいられないと。かっこよく言えば、あの人たちを安心していさせてたまるかということがある。それは岸井の思いでもあり、早野の思いでもある。ちょっとかっこよすぎるかな。

望月　安倍晋三さんとはすれ違っても顔を見ない、口もきかないというのが早野さんだったのですか。

佐高　いや、そんなことはない。早野のほうはむしろ私よりそういう人付き合いはいいと思うよ。金丸信にすごく食い込んでいて、金丸というのはそんなに田中角栄の忠実な家来じゃないわけだから。早野はけっこうああ見えて、けろっとして反対陣営も取材するところがあったから。

早野と言えば、望月さんは東京高検検事長の則定衛《のりさだまもる》が『噂の真相』に書かれたスキャンダル（則定が愛人のホステスを公費出張に同伴し偽名で宿泊、別れる際には慰謝料をパチンコ業者に肩代わりさせた）は知っていますか。

望月　はい。それで失脚しましたね。

佐高　あれが大きな問題になったのは、朝日が次の日一面トップで……。

望月　「『噂の真相』によると」と書いていましたね。衝撃の一文でした。

佐高　そこなんですよ。つまり「『噂の真相』によると」ということを書きたくないというのが朝日にかなりいたわけ。

望月　そうでしょうね。当時は朝日がそれをやるというのは。

佐高　『噂の真相』は怪しい雑誌だと。

望月　みんな読んでいましたけれどもね。

佐高　私もあれで世に出たようなものだから。そのときに早野は『噂の真相』とちゃんと書くべきだ、と頑張ったんだって。偉い。これは今の朝日の体質を見ていても大変なことだったと思う。

望月　権威主義で、そんなクレジットを入れるのかと。

佐高　でも、入れなきゃおかしいでしょう。そこをおかしいと思わない。

望月　当時の朝日だったらそうかもしれないですね。

佐高　自分が取材して苦労しているから、手柄を横取りするようなのはたまらないという気持ちもあったんだろうな。

望月　早野さんは当時はどういう立場だったのですか。官邸キャップとか、デスクとか。

佐高　あまり聞いたことはないけれども、けっこう上だろうね。

望月　言うのも勇気が要ったと思いますね。ザ・政治部記者、しかも名コラムニストが逝ってしまって、その分強気の佐高さんがますます元気になって、みんなの分も頑張ってほしいなと思います。

城山三郎の魅力

望月　『佐高信評伝選1　鮮やかな人生』を読みまして、城山三郎さんはやはりすごい方だなと思いました。ただ、もともと軍国少年だったわけですよね。

佐高　土井たか子さんが昭和3年（1928年）生まれで、城山さんが昭和2年で、澤地久枝さん（昭和5年生まれ）だって軍国少女だったんだからね。あの時代、真面目な人はみんなそうなってしまうわけよ。ならないのは三島由紀夫だった。三島由紀夫は大体虚弱で徴兵検査に落ちて、戦局が逼迫してきて召集されるようになる。その試験のときも落ちるわけ。それで喜んで父親と一緒に会場から逃げ去った。城山さんは「三島は戦争に行かなくてはならない人だったよね」と一言言っているわけです。

城山三郎という人、あなたはもちろん会ったことないよね。

望月　そうですね。でも、佐高さんが惚れ込んだ人なんだなということは、この本を読んですごく伝わってきました。彼のすごかったところ、魅力というものは、一言で言うとどんなところにあったのですか。

佐高　城山さんの親友と言われた伊藤肇さんという人が、「絶対に形の崩れない男」と城山さんを評しています。城山さん自身は、そう言われたら「そんなことはない」と言うんだと思うけれども。

城山さんを表すエピソードに、ゴルフの話があります。城山さんがゴルフをやっていて、前にコースを回っている人たちが入らないと打ち直したりしていたんだって。城山さんもけっこうせっかちだから、「早くしろ」「それはルール違反だから」と声を掛けたら、それが岸信介だった。「城山さん、岸さんですよ」と言ったら、「そんなのはかまわない。おかしいのはおかしいんだ」と。そういうところは、城山さんはものすごくはっきりしている。

それと、私が一番びっくりしたのは、城山さんが『総会屋錦城』で直木賞をもらって、後に直木賞の選考委員になるわけです。それからしばらく後に、深田祐介さんが『炎熱商人』で直木賞をもらう。そのモデルにした人がどこかの商社のマニラ支店長で、城山さんと一橋大学の同期生だったんだと。深田さんは「城山さん書かないんですね」と仁義を切ってから『炎熱商人』を書くわけです。その作品が直木賞の最終四作品ぐらいに挙がってくると、城山さんは、自分にはこの作品について公平な審査ができないからといって欠席したんです。深田さんにしてみれば、絶対確実な一票がなくなったということでしょう。そういうことを城山さんは話す人ではないんですよ。この話を私は深田さんから聞いたわけ。絶対確実な一票を失ったとは深田さんは言わなかったけれども、欠席したんですよと言っていた。だから、城山さんは、自分は公正な審査ができるとか、自分だけはできるんだとか思わない人です。

望月　常にどこか自分を律するものを持っていたというか、そこを制することができる。

佐高　そう。それとやっぱり、『総会屋錦城』という、正直言ってわかる人が少ない、ある種虐げられてきた企業小説を書いて、公正な審査で自分は選ばれた。そういうところを考える人なんだね。

望月　自分自身がそうだったからと。

佐高　晩年は、個人情報保護法に対しての鬼気迫るような反対の仕方とか、私も随分そそのかした部分もありますけれども。

望月　もともとそういうアクティビストという感じではなかったのですか。

佐高　城山さんは、確か名古屋の室内装飾業かなんかの家の長男なんですよ。しかし、お父さんはこの長男に継がせたら潰れると思ったわけ。それで次男が継ぐのだけれども、そのときにお父さんに兵隊の召集が来るわけです。その前に、当時の兵隊の仕組みでは、理科系の学校に行った人は徴兵がちょっと延びるということがあった。だから、お父さんは城山さんを理科系の学校に進ませた。そして、自分が兵隊に取られるわけ。17歳の城山さんは、その学校にいれば徴兵を免れるのに、半ば退学みたいにして海軍に志願してしまう。後からお母さんは、「何で止められなかったのか」とおやじさんにものすごい怒られるわけよ。でも城山さんは止められない。口数少ないけれども決めたことは変えないから。戦争中の話というのは、城山さんはしたくないわけ。

望月　自分自身もそのときの決断と実際の戦争を生で体験して、言葉に尽くせない怒りとか悲しみをずっと秘めていたのですか。

佐高　17歳の少年でしょう。皇国日本とかを信じていたわけだから。森喜朗ではないけれども、「神の国日本」みたいな。少年兵にはしごきみたいなものがあるわけです。

望月　壮絶なしごきを体験されたと書いてありますね。

佐高　寝ているときにハンモックの綱を切るんだって。すると、だーんと落ちる。それから、精神注入棒といって殴られるわけでしょう。こぶの上にこぶができたというんだもん。そういうことを経験して、幹部は一応精神訓話だけは言うわけでしょう。だから、国家というものが信じられなくなるわけ。それで城山さんは勲章を拒否したんですよ。

望月　軍の幹部の壮絶ないじめとか、自分たちだけいいもの持っていたりとか、そういうことに対する非常に深い失望というのが彼の中にはあって、それがその後の彼がいくつも書く小説の中に反映されていったんですね。

佐高　なるほどなと思ったのは、特別攻撃隊（特攻）とか、志願したと言われるでしょう。それはうそだと言うわけですよ。あの時代の社会とか国家が強制したんだと。それを志願と思わせた。自分はやはりだまされたし、だから志願ということをものすごく怒っていた。このあたりは統一教会の「信仰」の話と似てくるけれどもね。

望月　戦争というのは、本当に人間の理性を失わせて、志願してもいないのに志願したという形にさせる。

佐高　そう。例えば中曽根康弘という人は、海軍の主計なのね。主計というのは金勘定ですよ。だから前線に出ない人。それに対して田中角栄や、城山さんが『官僚たちの夏』の主人公のモデルにした佐橋滋には二等兵体験がある。つまり理不尽に殴られた体験があるわけです。そういう人は絶対反戦になる。

望月　中曽根は現場を知らないわけですね。

佐高　そう。現場を知らない。ロッキードのころは私も田中角栄批判をやったのだけれども、当時自民党一色と思っていたから、もっと悪いのがたくさんいたということは最近ようやくわかってきた。そのときに戦争というものは何なんだというのを肌で知っている人と、操る側の中曽根とではね。

望月　城山さんのお葬式には、中曽根さん、小泉純一郎さんを含めそうそうたる政治家が来られた。多くの政治家にもある種愛されていたのですか。

佐高　中曽根とか小泉がちゃんとわかっていたのかという感じはしないでもないですけれども。私は、城山三郎という人と司馬遼太郎という人は絶対違うと思っているわけ。ところが、読むほうの政財界人は同じように言っているよね。城山三郎という人は勲章を拒否するけれども、司馬遼太郎は勲章を拒否しないですよ。それと、国家というものに対する根強い不信感というものは、司馬さんにはない。

城山さんは、生前司馬さんに対して名指しではないけれども、批判していました。私は城山さんが亡くなってから司馬の名前を出して批判をしているのだけれども、神の視点で書いていると。だから、地べたに近い城山さんから見ると歯がゆいんだよね。何か全部わかったようにして書いているということを、司馬遼太郎について言っていましたね。

望月　目線の置き方ということですか。

佐高　そう。もう一つ言うと、司馬遼太郎というのは、あまり女性の読者がいない。ほとんど男なの。男性か、男性化した女性。ところが、藤沢周平というのは女性の読者がちゃんといるんですよ。むしろ女性の読者のほうが多いみたい。それはある種虐げられるというか、弱さを知っているというか、例えば落合恵子さんなんか司馬さんは読まないけれども、城山さんも好きだし、藤沢周平も大好きということになるわけ。

望月　痛みを知っている作家だという意味で、そういう魅力を佐高さんも感じた。

佐高　そうですね。

望月　城山さんは三島さん嫌いというのはけっこう公言されていたのでしょうか。三島さんに対する嫌悪感、拒否感というのを、先ほどちょっと言及されていましたけれども。

佐高　兵隊の話（「憂国」１９６１年）と、もう一つは近江絹糸での労働争議のことを三島由紀夫が書いた（『絹と明察』１９６４年）のだけれども、その作品は城山さんに言わせると全然駄目なのね。城山さんが書評で全然駄目だと書いてしまったんですよ。そうしたらほめられ慣れている三島は怒ったわけ。城山さんの一橋の後輩で、交流があった石原慎太郎が「私が怒っていたと城山に伝えろ」と言ってきて。城山さんはそれを私に話しながら、怒っていると言われてもと笑っていましたけれどもね。慎太郎が三島のパシリなんだよ。

望月　通じるものがあるのは何となくわかります。そして、城山さんは大岡昇平さんに非常に傾倒されていたそうですね。

佐高　そう。『落日燃ゆ』、文官でただ一人東京裁判で絞首刑、戦争責任を問われた広田弘毅のことは、大岡昇平さんが口添えしたから書けた。広田弘毅の息子と大岡昇平が同級生で、友達だったのです。

広田弘毅というのは、壮絶ですよね。ご承知のように、裁判がはじまる前に静子夫人が自殺するわけでしょう。一切取材に応ずるなと言いながら亡くなっている。だから、娘さんたちはもちろん、息子たちも取材に応じなかった。それを大岡さんが「城山さんは信頼できる人物だから」といって口説いて取材を受ける。広田の娘二人にも聞きたいことがあるというと、顔を合わせるのは駄目ということで、聞きたいことを城山さんが言うと、息子さんがふすま越しに向こうにいる妹さんたちに言って、そうして書いた。

望月　『落日燃ゆ』では、城山さんが「死出の旅を共にする仲間として、広田にとって残りの六人はあまりにも異質だった。呉越同舟とは言うが、苦い思いを味わわされてきた軍人たちに最後まで巻き添えにされ、無理心中させられる格好であった」と。

佐高　要するに、近衛文麿が自殺してしまうわけでしょう。アメリカとか欧米の感覚では、シビリアンコントロールというのはある程度効いていると思うわけですよ。そうすると、戦争を軍人だけでやったわけではないだろうという頭が最初からあるわけ。

日本の場合は、文官というか、シビリアンというか、そういう人たちも全部軍部に抑えられている。だから、広田なんて戦犯ではないわけです。軍部に一生懸命抵抗していたわけだから。ところが、アメリカとかの思い込み、自分のところはシビリアンコントロールが効いているからということだと、誰かを血祭りに上げなくてはならなかった。近衛がいなかったから広田になってしまったわけ。

だから、今、望月さんが読み上げてくれたように、まったく異質の、ちょっとたとえが違うけれども、城山三郎と岸信介が並んでいるような感じだよね。

望月　悪い偶然が彼を追い込んでいった。松岡洋右が死んでしまったとか、そういうことも。

佐高　松岡洋右もそうですね。

吉田茂の国葬と平野貞夫

佐高　それと、吉田茂という人も私はけっこう疑問符なんですよ。何で疑問符かと言うと、『佐高信評伝選』にも入れた『湛山除名』に書いたように石橋湛山を公職追放にしたのは吉田なんですよ。つまり、広田を戦争犯罪人にしたように、もうちょっと違った場面で吉田は自分の政敵である湛山を追放させるように、占領軍とたぶん交渉した。これを吉田のY項パージと言うのだけど。石橋湛山なんて、戦争中これほど抵抗したジャーナリストはいないわけ。山県有朋が亡くなったときに、「死もまた社会奉仕」という痛烈なのを書いた。あるいは戦争中もずっと一番抵抗した人が、戦争に協力したとして追放されるという悲劇の時期があった。

それともう一つは、広田弘毅と吉田茂は外務省の同期なんですよ。広田は軍部を抑えるためにイギリスとの同盟をけっこう重視していた。当時のイギリス大使が吉田だったんですよ。広田が首相になって、吉田はそれに協力すればいいのに、やっかみ半分もあってか協力しないわけ。最後に憲兵に引っ張られたから戦争に抵抗していたように見えるけれども、私が城山さんの本を読んだり、石橋湛山の書いたものを読むと違うんですよ。

それで、安倍の国葬の前に国葬になったのが吉田でしょう。あれは佐藤栄作という人がどうしてもしたかったわけ。そのときに面白いなと思ったのは、「3ジジ放談」で共演している平野貞夫さん。平野さんは高知の土佐清水、足摺岬に近いほうの生まれで、吉田と深いつながりがあるわけ。吉田のお父さんは竹内綱という高知

の自由民権の闘士で、平野さんも血の気の多い人だから、若いころ共産党に入ると

いって聞かなかった。

望月　そういうときもあったんですね。

佐高　それを吉田がお父さんから頼まれたと説得して、今のテレビ朝日か何かに名前だけ書けば受かるようにしていたのに、試験のときに尊敬する人物に毛沢東とか書いて。これはさすがに入れられないでしょう。それで吉田に大目玉を食らったわけですよ。

でも、吉田も陰では「そんないごっそうがまだいたか」と言うんだよな。「いごっそう」というのは土佐弁で頑固者ということ。それで吉田の番頭みたいな人に、まず黙って2年間辛抱しろと言われるわけよ。

望月　それで衆議院事務局に放り込まれるんですか。

佐高　2年たってもまだ共産党に入りたいと言うなら、そのときに考えると。おやじを説得してやると。事務局に入ったら、全部自分が書いたシナリオで与党も野党も踊らせるようになるわけでしょう。平野さんは衆議院議長の前尾繁三郎の秘書に

なり、その前に副議長の園田直《すなお》の秘書になる。大体政治家と渡り合うような人は本来衆議院事務局なんて入らないよね。そういう血の気が多い人がぴったりだったわけ。

それで、吉田を国葬にしたいと言われて、平野さんはあまりその気はなかったのだけれども、しょうがない、やるときは社会党を口説かなくてはならない。平野さんはそのときに社会党を籠絡してしまう。私は今、平野さんに「悔い改めよ」と詰め寄っているのだけれども（笑）。

もう一つ面白かったのは、吉田の息子。息子は吉田健一という英文学者で、卓抜なエッセイストなんです。この人が国葬反対だったんだって。どちらかと言うと洒脱な城山さんみたいな人だから。佐藤栄作は、国葬に吉田健一が来ないのではないかということを最後まで心配したというんだよ。さすがに吉田健一もそこは大人の対応をしたらしいんだけれども、そういう秘話があります。

望月　面白いですね。

佐高　だから、平野さんは悪いんだよ。あそこで平野さんが暗躍しなければ、吉田の国葬はなかったし、安倍の国葬もなかった。

でも平野さんは悔い改めたんだからいい。左から右に行く人は多いけれども、右から左に行く人はいないんですよ。だから、それはいいんです。

望月　平野さんから出てくるポジティブパワーというか、あの気力というのはたぶん若いころからまったく変わっていないのでしょうね。

佐高　そうでしょうね。

それと、やはり生きた学問ですよね。政治を語る学者の中には未熟なのがたくさんいるじゃない。政治とか人の動きとかというのがわかっていなくて、小選挙区に賛成してみたり、またそいつらが悔い改めていない。誰とは言わないけれども。そのへんがやっぱり平野さんは違う。池波正太郎が言っているけれども、悪いことができない人はいいこともできない。

そして、平野さんを表に引っ張り出したのが早野なの。

望月　政治部記者として一目置いていたということですね。

佐高　置いていたというか、操ったか、けっこう早野も悪いところもあったりして、こっそり私には「平野貞夫は私が世に出した」ということを言っていたからね。

鈴木朗夫が生きた時代

望月　佐高さんの『逆命利君』ではいろいろな政財界の方を取り上げていましたけれども、非常に日本の経済が元気で上を向いていて、会社の中で生まれ、会社の中で死んでいくみたいな、そういう古き良き、仕事に全てをささげていた日本人の方たちの一場面を生々しく見る感じがありました。鈴木朗夫さん（住友商事常務）は、ジャン・コクトーを愛した男という意味でもものすごくロマンチストで、読んでいてかっこいいなという感じがしたのですけれども。鈴木さんの魅力はどこにありますか。

佐高　私が会えなかった人。私が書こうとしたときにはすでに亡くなっていた。会えなかったから書けたのです。つまり、私はおよそ受け付けない人だよね。ジャン・コクトーを愛すなんて、私は愛せないし、三島由紀夫もたぶん好きだと思う。それから、オーデコロンか何かの香水を振りかける。もう一番苦手な人ですよ。

ところが、講談社の高倉健と言われたナイスガイがいて、その人が逆に惚れ込んだんだね。それと、鈴木さんを知る人みんなが「ぜひ書いてください」と言うんだよ。何の障害もないから、半年ぐらいで書き下ろしたのです。

当時は、サラリーマンはみんなばかな上司にものすごく苦労しているわけ。それで「感動した」、「私もこれから逆命利君の精神で行くんだ」といった手紙が来る。でも、私は知らないと。岩波現代文庫版には、解説の代わりに城山さんと、鈴木朗夫を受け止めた伊藤正（住友商事社長）という人の対談が入っているんですよ。

つまり、伊藤正がいたから鈴木朗夫がつぶされなかったわけ。伊藤正がいないところで逆命利君をしたらすぐ左遷ですよ。左遷かクビ。だから、「感動した」、「逆命利君の精神で行く」と言われても、相手はいるのか。「あらまほしき上司とあらまほしき部下」の物語と解題を書きましたけれども、つまり相手がいないんだよ。

望月　でも、読むとものすごくポジティブになれますね。

佐高　希望というのはない。言うまでもなくまれなる望みなのだから。あらまほしきというのはそうないけれども、「これを読んで元気になってください」、「こういう人もいますよ」ということです。

第二章　政治家と宗教

統一教会と自民党

望月　統一教会と自民党がいかにずぶずぶかというのは、見れば見るほど、切り離すのは相当難しいだろうと佐高さんは仰っていますよね。

佐高　あなたももちろん統一教会を追いかけているんでしょう？

望月　追いかけてはいますよ。弁護団とかですけれどもね。あと、被害者とか2世から話を聞いたりしていますけれども。

朝日新聞が全国会議員を対象に調査したら、54人回答しないという人たちがいて、そのうちの50人が自民党議員。上川陽子さんとか細田博之さんとか、けっこういろいろな国会議員の名前が出ていて、彼らは統一教会との政策協定に署名したかどうかも回答していない。これだけ批判が出ていても、そういう対応になってしまっているというのは何なのかなと思っています。

佐高　統一教会と自民党の関係では、今に焦点が当たっているけれども、歴史が随分古いんだよね。統一教会の政治団体で「国際勝共連合」というのがあって、国会議員でも「勝共連合推進議員」というのがいる。その名簿が有田芳生の本か鈴木エイトの本に出ているのだけれども、それには中曽根康弘とか亀井静香とかがずっと出ている。現役の自民党の議員で残っているのが、麻生太郎と細田なんだよ。
細田は元議長でマスコミのターゲットになっていたけれども、麻生なんかも意外にするっと抜けている。萩生田光一なんかだって、麻生に比べればチンピラなんだよな。国際勝共推進議員名簿あたりからさかのぼらないと。

望月　その名簿は90年代か何かに週刊誌が書いたものでしょう。

佐高　中曽根がまだ議員でいたころだからね。麻生、細田がなりたてのころだという感じもするのだけれども。そういう人たちは口をつぐんでいるじゃない。

望月　そういう人たちが口をつぐんでいることが、麻生派の人たちからすると、親分はまったく答えていないから、たぶん朝日にも回答していないし、自民党の自己点検にも回答していないっぽいんですよ。回答はしていても、関係ないというか、本当は推進議員の一人なのに、そういう人がその態度だから、今注目されている萩生田さんなんかも全然あってなかったかのごとく政調会長として振る舞っているし。

佐高　あなたは麻生に会ったことはあるの？

望月　会見に何度か出たことはありますね。

佐高　自民党は階級社会というか、序列の厳しい社会じゃない。当選回数が物を言うわけだから、岸田なんか当選回数で言うと麻生や甘利よりずっと下なのよね。そうすると、岸田が甘利とか麻生にちゃんと答えろとは絶対に言えないわけだよ。そういう悪い意味の長幼、序列の社会だということがわからないと、今の若手ばっかりが責められるよね。そういう感じが私はしているな。麻生のことを追及しているジャーナリストはいるの？

望月　『週刊新潮』かな。昔から新潮は統一教会とコミットしていて、そういう名簿も全部持っていると聞きましたが。麻生さんの最近まで秘書をやっていた方が今県議になっていて、それが統一教会信者だという。ただ、何十年も前の話なのですけれどもね。それはすっぱ抜いて書いたりはしているけれども、確かに他に表立った動きはないですね。もう財務大臣でもないから、会見場に来ないということもあるのですけれども、副総裁だから、追及されていない。

細田さんに関しては議長になっているから、党員停止にはなっていないはずなのだけれども、党の役職は外れていると言っていて、立憲民主党は副議長（赤松広隆）を一応調査して結果を発表しているのですが、自民党は細田さんと参院の議長（山東昭子）は自己点検から外しているのです。でも、細田さんに関してはいろいろなものが次々と出てきていて、韓鶴子のＵＰＦ（天宙平和連合。統一教会の関連組織）のイベントでもしゃべっていたり、その動画も出ています。会見はしていませんが、ようやく自己点検結果を発表して、後でまだ追及されて追加で回答している。８回ぐらい接点があった、会合とかに呼ばれてあいさつをしましたとか、祝電を送っていましたと発表したのです。

でも、それきりというか、紙ぺら１枚出しただけで終わっている。それは野党の弱さもあるけれども、メディアが批判を重ねても紙ぺら１枚。ぶら下がりでも答えないみたいな感じなんですよね。

宗教を利用してきた清和会

佐高　見ていて思うのは、新聞だから新しいものを追うのだろうけれども、新を追いすぎると旧が忘れられるんだよね。でも、旧というのは構造的なものでしょう。だから、今答えたとか答えないとかいうよりも……。

望月　旧がかつてどうだったかというね。

佐高　そう。例えば細田なんか、こういう言い方をするとあれかもしれないけれども、やはり三下なんだよ。福田赳夫がいて、おやじの細田吉蔵がいて、それで細田でしょう。そうすると、関わりの度合いは惰性みたいに続いているだけで、細田博之自身にどのぐらい意識があるか。

統一教会問題が報じられなかった「空白の30年」とはそういうことでしょう。何か新しいことが起こらないから追いかけなかったわけです。

望月　この30年での一番の首謀者は安倍晋三元首相なのでしょうけれどもね。その安倍さんが死んだから調査をしない、自己点検というか、客観証拠を集めて、安倍氏がどのぐらい関わっていたかは出しませんと言っている。そもそも岸信介氏が一番大元じゃないですか。その後は、安倍晋太郎氏なわけですよね。清和会以外も統一教会とつながりのある派閥はあるけれども、これは星浩さんが言っていたんですが、平成研とかを含めて創価学会と強い結びつきがある派閥は、なかなか統一教会を受け入れない。

清和会はもともと派閥が弱かったではないですか。

佐高　それは星の言うことがおかしいのであって、創価学会と一番近いのも清和会なんだよ。宏池会というのは政教分離を主張するから、加藤紘一なんかはっきり公明党と結ぶべきではないと言うほうなんだよ。宗教団体と政治が結びつくのはよくないという、そういう立場が宏池会。

望月　創価学会とわりと近い派閥はどこでしたか。

佐高　一番近いのは、田中角栄が藤原弘達に言論弾圧をしたということで、田中みたいに言われるけれども、それは違って岸とかなのよ。創価学会の2代目会長の戸田城聖と岸信介がすごく密接な関係だったから。戸田が亡くなったときに、岸が首相時代に葬式に行こうとしたくらい。それはまずいということで、安倍晋太郎と岸の奥さんが葬式に行く。まともな保守というのは、宗教と結ぶのはまずいという思いがある。星あたりがそんなことを言っては全然駄目だな。

望月　星さんは正直かばっている感じはありましたね。星さんは菅さんに食い込んでいるとも聞きます。菅さんをかばうような発言も目立ったし、あくまでも清和会と統一教会の問題で、なぜならほかの派閥と学会がつるんでいたからと言っていたけれども、それは違うのですね。

佐高　菅もものすごく統一教会に近いんだよ。

望月　そうやってエイトさんは分析していましたね。

佐高　鈴木エイトの本の書評で書いたのだけれど、菅の両腕と言われたのが、河井克行と、選挙違反ですぐ経産大臣を辞めた菅原一秀。この2人がものすごく統一教会と近いわけよ。だから、菅自身がものすごく近いんだという話。星はそこを隠しているじゃない。

望月　そこなんですよ。2016年か17年、これはエイトさんが書いているのですけれども、官邸に北米の統一教会幹部の会長と妻が来たときに、まず自民党副総裁だった高村正彦さんのところにあいさつして、その後菅さんに呼ばれたからといって官邸に来ていて、韓国の統一教会では菅さんに呼ばれて官邸に入ったという報告をしている。だけれども、菅さんは一切会っていないと言い張っているんです。

星さんは、それは結局統一教会と安倍さんとの関係がすごく強くて、菅さんはそんなに直接的には関係ないんですよと言っていた。北村経夫議員という産経新聞の元政治部長で2013年に参院選で当選した人がいるんですが、当初絶対に負けると言われていたのに、何とか当選させてほしいということで、事務局長が官邸詣でをした。そこで菅さんからは、統一教会としては北村さんで行くと言われたから、8万票上乗せされるから大丈夫だと返ってきた。これは当時のスタッフが告発していたから、私もそうだけれども、テレ朝とか、インタビューしてネットにも載せていたのです。

菅さんはそれに大激怒して、私じゃないと。テレ朝に関しては文句を言って削除させて、TBSは削除しないから残っているのですけれども、結局そこでも星さんはかばっていて、あれは菅さんじゃないんだと言うのだけれども、エイトさんはもうちょっと深く分析していた。もちろん安倍さんとの関係はあった。だけれども、菅さんはポスト安倍さんを虎視眈々と狙っていたから、官房長官という重職にあって、もちろん安倍さんへの配慮もあったけれども、公明党、学会と取り込んでいったように、統一教会も取り込んでいこうということは相当あったということです。

ただ、表立ってUPFの会合に行く、みたいなことまでやっていない。官邸で主導したのはたぶん菅さんだと思うし、菅さんは菅さんで、菅人脈を含めて、統一教会の幹部たちを取り込んでいこうとしていた。確かに17年あたりはポスト安倍を虎視眈々と狙っていた時期ではあるんですよね。

佐高　北村経夫というのは、踊る宗教（天照皇大神宮教）の北村サヨの孫なんだよね。北村サヨというのは山口でしょう。安倍と同郷ということ。

それと、さっきの宏池会の伝統というか、加藤紘一なんかも含めて、政教分離というのは原則守るという政治家は保守にもいるわけだよ。ところが、そうではない、ともかく票のためには何でもいいというのが岸系列、安倍系列と、菅もそう。菅も最初市議から立ったときに、相手が創価学会の青年部長だったわけだから、池田大作をめちゃくちゃ言うわけだよ。

望月　何と言ったんでしたっけ、悪魔だっけ。

佐高　「人間の仮面をかぶった狼」。それがころっと学会を利用するようになるわけでしょう。だから、手段として宗教を使う。それはよくないというのが宏池会を中心としたまともな保守だったんだよ。

小沢一郎が学会と組んで新進党を作ったときに、後藤田正晴が激怒したんだ。禁じ手だと。でも、禁じ手が最近は禁じ手ではなくなってきた。それは安倍とか菅とか、理念のかけらもないような政治家が保守の主流になってしまったから。石破茂なんかも危ないところだよな。石破も統一教会の何かに出たりしたんでしょう。

望月　1回行っています。それは20年来の友達で、よく講演会とかに来ていた人の関係らしいんですね。先生の安保に対する考え方に僕は実に深く共感を覚えると言って、個人的な勉強会にも来るようになった。純粋に安保を考えているみたいな人だったから、そこまで深く考えていなかったみたいな言い方をしていたけれども、まあわかっていましたよね。

佐高 「純粋に安保を考える」というのは、人の命はどうでもいいというのが純粋な安保の考え方だよ。2代目、3代目というのは、そういうのが多いのよ。つまり、人一人の命ということがどこかに行ってしまって、国が前面に出てくるわけでしょう。そうすると、国から出発するから命なんてどうでもよくなってしまう。それが安保を真面目に考えているとかいう話になってしまうわけだよ。

望月 面白いのが、石破さんにインタビューして、統一教会が平和家庭連合だ何だと名前を変えていても、わかっていないわけがないのに、わかっていなかったみたいなことを言っていたので、あえてもう1回そこを突っ込んで訊いたのです。そうしたら、「わかっていたかもな」と言い出したんです。正直なんですよ。でもそう原稿に書いたら、やり手の女性秘書がびしっと赤字を入れて直してきました。知らない、わかっていなかったみたいなね。だから、みんなわかっていたのではと思います。

「空白の30年」というメディアの敗北

佐高　統一教会で「空白の30年」を生んだメディアの責任はあるわけだよ。それは珍奇なものばかり追いかけたからでしょう。権力批判にきちんと視点を据えないで、新しいものばかりやるから、統一教会の「空白の30年」を生んだんじゃないか。それについて、メディアはきちんと自己批判していないよね。

望月　そうですね。でも、統一教会が先に問題視された後に、オウム真理教が起こした数々の殺人事件で教祖の麻原彰晃被告の裁判が来てしまって、そこに一気にメディアの関心がシフトしていってしまったようなところがあったと思います。有田芳生さんも青木理さんもおっしゃっていますが。

佐高　私も破防法（破壊活動防止法）適用の立会人で渦中に巻き込まれているからわかるのだけれども、でもその中でも、何かあっただろうと思う。

望月　日本のメディアのあるあるだけれども、我が社でもそうですが、統一教会側の嫌がらせも、当時は1本記事を書くと何十本と電話が来る。ＪＡＬもそうなのだけれども、ＪＡＬの経営再生なんかについても、やっている手口がおかしいと書くと、書いた瞬間に広報からこうでああで、何でこんなことを書いたのだと、毎日のように電話が来はじめる。

統一教会はもっとひどかったらしくて、弁護団の人たちには1日２００本の抗議電話があった。でも、戦い続けたことでメディアは事件化すると乗ってくる。特捜部でも何でもそう。それは今と変わらない。事件化するとみんなわいわい騒いで、自分たちには矢が飛んでこないみたいなことがあった。だから、統一教会のことを本当に問題だと思っていた鈴木エイトさんとか、多田文明さんとか、ああいう人たちには「空白の30年」なんかないわけです。ずっと彼らはひたすら追い続けてきたから、今、ネタも独走状態なのだけれども。それに負けてきたんだと思います。

佐高　「空白の30年」と言うけれども、象徴的に言えばそれはメディアの敗北ですよ。それが構造的な問題なのだということを言いたいわけよ。つまり、珍奇なものばっかりに行って、地道にやっている人を取り上げないじゃない。

望月　それは統一教会なるものが、安倍銃撃事件によって明るみに出たからだけれども、統一教会は2007年に、はんこ事件で36人ぐらい幹部が摘発されて、そのときは1回騒ぎになっているのです。これはオウムの後です。ただ、亀井静香たちが幹部まで行くことを止めている。

佐高　メディアはもっと違う迫り方をしなくては駄目だろうと思う。じゃあ、みんなが騒がなきゃメディアはやらないのかと。オウムが出ました、はいじゃあ次はオウムです。こんなことが出ました、じゃあ次はこれをやります。これじゃメディアは……。

望月　それがメディアなんです。でもそれではいけないんでしょう。

佐高　意外に簡単なことなんじゃないかと思うんだよね。新聞が旧聞になることを恐れるなって、繰り返し私は言っているわけだ。あれは旧聞だよねと言うと、みんなそれで書かないんだよ。それはこの間出ていたでしょうとデスクが言うでしょう。そうすると、たぶんあなたもひるむでしょ。

望月　出ている話だとか、聞いた話だと。

佐高　でも、私が問題にしたいのは、それが今でも続いているのではないかと反論する記者はいなかったのかということなんだよ。オウムがあれだけ騒がれて、統一教会はその陰に隠れたというけれども。

望月 陰に隠れたというか、関心が一気にそっちにぐっと行ってしまって、統一教会は統一教会で事件にさせていないわけですよ。事件になれば騒ぎますよ。オリンピック汚職の特捜部の動きを見ていたらわかるじゃないですか。

佐高 じゃああなたたちは特捜部を追いかけてばかりいるのか。

望月 特捜部の案件になれば一面に行ってしまうわけですよ。相変わらず司法クラブは花形部署みたいに位置付けられているから……。

佐高 そこのゆがみというのは、あなただって感じるでしょう？

望月 感じているし、当時自分が特捜部担当にいたときは、そのネタ1個で毎回一面に行ってしまうから、それはそれでこんなものかと思ってしまっていた。2022年は新聞協会賞を、読売の特捜部ネタ（2020東京オリンピックをめぐる汚職事件のスクープ報道）が取っている。新聞協会も新聞協会で、賞をあげてしまっているわけです。

これはピュリツァー賞だったらあり得ない。当局が取ったものを若干前打ちしてピュリツァー賞はあり得ないから、まさに調査報道とか独自の視点で何を切り取ったかがピュリツァー賞なわけで、新聞協会が今までお墨付きを与えてきた賞自体が問題なわけです。東京新聞の場合は特捜担当は全部なくしたのだけれども、各社の特捜部担当とか政治部の官邸担当とかは花形部署なのです。そこにいた人たちが、その後キャップとかデスクをやって、政治部長、社会部長になっていく。

そんなレールが今でも残ってしまっているから、特捜部で部長や次席が言うネタを、翌日1個でも2個でも先に書いておけば、会社では出世していける可能性が出てくる。でも、その新聞・通信社がこれからどんどんつぶれようとしているという流れですけれども、日本は記者クラブ制度が強すぎるゆえに、アクセスジャーナリズムばかりが発達している。それは本当にゆがんでいると思いますよ。

佐高　今のあなたの話を聞いていて、なるほどなと思う半面、岸井と私がしょっちゅう論争をしていたのは、読者を意識しているのかということ。お前は読者をどこに置いているんだと。そうすると、岸井は私には正直だから、他紙の誰かかなとかなるわけだよ。それを書けというと、新聞記者はみんな知っているんだよとか言う。でも読者は知らないじゃないか、意識するのは読者だろうと。

今のあなたの言った特捜部のどうのこうのは、読者はそれを求めているのか、どうなのか。

望月　政治部あるあるで、こんなのはみんな知っているから書かないだけでと、田中角栄さんのロッキード事件のときもみんなそう言ったらしいじゃないですか。金脈疑惑問題は月刊『文藝春秋』が書いたけれど、実は当時の政治部はみんな知っていたなどと後で言う。でも彼らは餌付けされていたりしているから、うわさがあっても徹底調査しない。当時の記者はすごくお金をもらっていたと言われているじゃないですか。お歳暮とか、官房機密費を含めて。

だから、マスメディアはそういう意味では駄目だと思うし、マスメディアが今期待されず見限られているから、朝日だって「文春砲」にやられてしまう。文春は変なスキャンダルもいっぱいあるから、全部がいいとは思わないけれども、政治で際どい本当にいいネタ、河井克行元法相夫妻の公選法違反事件とかの話もそうだし、菅原一秀元経済産業大臣のお歳暮問題なども全部文春ネタなんですよ。もしくは赤旗の桜疑惑報道とか。本当は一般紙が一面トップでやらなくてはいけないようなネタを赤旗がやり、文春がやり、記者クラブ以外のメディアがやっている。朝日は昔、調査報道をしっかりやっていたけれども、今は特別報道部はなくなってしまった。そもそも期待されていないわけです。世の中変えてくれないよねと。

はっきり言って、官邸にあれだけ記者を置いているから、政治の内実とか、権力闘争の内幕話は確かに詳しいですよ。でも、だから何？　みたいなところがある。世の中の人は、安倍氏が今日何を言って、それに菅さんがうなずいたとか、別にいいよねという……。

佐高　さっきの当局報道がピュリツァー賞をもらうことはあり得ない、これはもっと声を大にして言っておかないといけない。

繰り返し言っているように、当局報道うんぬんで思うのは、こちらも余計なところで訴えられたりしているからだと思うけれども、訴えられるようなことは覚悟で報道するわけでしょう。ニューヨークタイムズ、ワシントンポストは訴訟費用を積み立てているわけ。そこの違いだよ。『噂の真相』があれだけ伸びたというのは飛ばすからでしょう。

望月 その代わり警察とかにもやられたり……。

佐高 岡留安則（『噂の真相』編集長）なんていつも裁判を抱えていたよ。本当は、5本訴えられたら新聞協会賞とか、そういうふうにやらなきゃ駄目でしょう（笑）。

望月 当局系はデスクを通りやすいんですよ。東京地検特捜部が動くとか、特捜部の持っている裏資料とかがあれば書かせてもらえた。でも、ある大企業の内部の告発者が資料5冊ぐらい持ってきた記事を練りに練って出しても、これは当局がやらないよねとなって、つぶされる。

調査報道で勝負をしてきていないような人は、部長になっても何になっても心配なんですよ。でも、特捜部が動いているんだったら名誉棄損にならない。

佐高 お墨付きだな。

望月 そう。調査報道で言うと、うちは元社会部長の杉谷剛さんという人がずっと調査報道をやってきて、国会も動かしてみたいなことがあった。だから、その世界で勝負してきた人が部長のときは記事が通るのです。でもそうでない人が部長になったときに、いくら言っても、「それは当局はやるのか？」みたいなことを訊かれて、当局の裏付けがないとなかなか際どいものは提訴される可能性があるということで記事にできない。そんなこともありました。

毎日新聞の加計学園報道のときもそうでしたよね。これは有名な話として聞きましたが、総理のご意向文書の紙をネタ元からもらって、それを毎日の社会部がしゃかりきに追って、一面のネタで用意していたものを、最後に編集局長に上げたら、その上に情報が回って、政治部に行ってしまったとか。一報は朝日に抜かれるのですけれども、ブツの内容が漏れていたのがばれて、社会部の人が土下座してネタ元に謝ったとかいう話を聞きました。何でつぶされたかというと、加計学園に毎日新聞の元記者が移っているからだと。

佐高　創価学会なんて朝日とべったりだよ。だって、『AERA』で佐藤優が連載して、『池田大作研究』が朝日新聞出版から出るわけだよ。初刷10万部だよ。

望月　初刷10万部は知らなかった。

佐高　学会は見事に毎日と朝日を交互に使って籠絡しているわけだよ。毎日新聞出版から田原総一朗の『創価学会』が出るわけだから。

望月　信者が買うというだけですよね。

今の政治家の堕落の根源は世襲政治

佐高　今は本当にげんなりするような政治家ばっかりでしょう。

望月　今となっては、昔の政治家は実はよかったんだなと思います。田中角栄さんは金と政治の問題はありましたが、自分の言葉を持っていました。今の政治家は言葉の力を失い堕落してしまったなと思います。しかし彼らは私たちが選んでいるわけで、市民の側の意識の問題もあるのだと思いますけれども。

佐高　今度石橋湛山の全集の翻訳がアメリカで出る。アメリカ人は偉そうだから、デモクラシーを日本に教えてやってみたいなことを言っているわけでしょう。その全集を翻訳するリチャード・ダイクは、自分もそうだと思っていたと。でも、湛山のものを読んだら違うとわかったと言うんです。ちゃんとデモクラシーを体現した人が日本にいたと。それで湛山の全集をアメリカで出すという。原点は石橋湛山なんですよ。
望月　今の政治家にはなかなかそれは見えないということですね。
佐高　湛山につなげて言うと、田中秀征という人が孫弟子だと言っているのね。何で孫弟子かというと、62週ぐらいしか続かなかった石橋湛山内閣の官房長官が石田博英という人。そこの政策秘書に田中秀征が入ったわけです。政策でない秘書が山口敏夫だった。だから、汚れ役。その二人は同じ年で妙にお互いを知ってるんです。
それはともかくとして、人間の出会いというのは奇遇だなと思うのは、私が教師を辞めて、食うために経済誌に入って、その雑誌で田中秀征と知り合うわけね。私が27歳、彼が32歳。初めて選挙に立って落ちたころですよ。そこに田中秀征が『自民党解体論』を書くわけです。
すごいなと思うのは、田中秀征は一応保守系の人だから、統一教会が選挙の応援に来たわけですけれど、それを断るの。
望月　立派じゃないですか。

佐高　秀征は立派な人よ。面と向かっては絶対に褒めないけれども（笑）。それで、統一教会側が田中さんの選挙区で、あいつは共産主義を認める容共議員だというビラをばっとまくわけ。だから、今度の統一教会の問題が起こったときも、自民党との関係で、ああそうだ、田中秀征がそういうことを言っていたと私は思い出した。

つまり、否定しなければ全部食い込まれるわけよ。否定したときに初めて自民党議員は統一教会との関係がわかる。黙っていたら入り込んでしまっているのです。ヒルみたいなもので、はらったときに初めてくっついていたんだということがわかる。そういうことを断った人は秀征ぐらいしかいないんだよ。

望月　実際みんなヒルがつきっぱなしな感じに見えますもんね。

佐高　それと、駄目にしているのは世襲でしょう。自民党議員ではいまや5割もいる。「みこしは軽くてパーがいい」と言うけれども、世襲の代議士というのは勝手に行動されては困る。つまり、意思を持っていたら担ぐほうにとっては困るわけ。だから、みこしは軽くてパーがいい。ただ、統一教会との関係なんかも、知ろうとすると、「殿、そういうことにはかかわらなくていいのです」という話になるんだよ。田中秀征が『自民党解体論』の中で「世襲議員は存在は許されても行動は許されていない」と書いている。

望月　何もできないということですか。

佐高　いや、担ぐほうにとっては勝手にやられては困るんだよ。

望月　まさにそれを聞くと、岸田さんが今何でこんな動きをしているのかということがよくわかりますね。本人の意思はないですよね。

佐高　山際大志郎をなぜ切れなかったかといえば、甘利が山際の留任も押し込んだ。甘利明、安倍晋三、麻生太郎を3A（スリーエー）と言うんだけれども、山際は麻生派だから、甘利と麻生太郎という2Aの了解を得ないと動けなかったわけだよ。ちなみに亀井静香は3Aを「スリーアホ」と言った。

望月　そういうことなんですね。何をやっているんだろうという動きでしたよね。

佐高　そこがわかれば、違ったものが見えてくる。細田博之の場合もそうです。

望月　あれも2世なんでしたっけ。

佐高　2世です。この間、毎日新聞で面白かったのは、能なしは婿に入ると誰かがコラムを書いていた。経産大臣の西村康稔も婿なんだよ。だから、婿も含めた世襲というのを問題にしないといけない。

望月 結局選挙は金がかかるから、そういう人しか立てない、立たない。

佐高 そう。小選挙区制になってますます婿を含めた2世が有利になる。

だから、石破の場合でも、細田の場合でも、気の毒とは思わないけれども、要するに実際にどこまで統一教会との関係を知っているか。知っているか、知っていないかで責めてもあまり効果はない。効果はないという言い方はおかしいけれども、実際に知らない場合がある。

逆に言えば、岸なんかが優秀だから、知り尽くして全部わかった上でコントロールしきって、暴発もしないようにやっていた。だから、「わいろはろ過機を置けばいいんだ」という発想になる。これをつかまれても自分のところに来ないというのがちゃんとあるんだよな。

もう一つ言うと、安倍晋三が1回辞めるでしょう。ぽんぽんが痛いと。でも、あれはぽんぽん痛いで辞めたんじゃないんだよ。父親の安倍晋太郎の後援会を相続したときに、すごく巧妙な形で相続するんだ。そこで脱税をやったんだよ。それを『週刊現代』が「3億円脱税」と4ページで書いたの。それで辞めるのよ。

それを吉田忠智という社民党の議員が、安倍が1回辞めて返り咲いた後に国会で質問したわけよ。そうしたら、安倍が激怒したんだよ。あなたは週刊誌の記事で質問するのかと激怒したわけ。週刊誌の記事といっても、『週刊現代』はちゃんと書いてるんだけれど。でもそのときに、吉田が私にちらっと相談してくれればよかったんだけれども、ひるんじゃったんだよ。あいつ人がいいから。そこを突けば、それで辞めたんだから。

望月　それは新聞とかは追いかけなかったんですか。

佐高　週刊誌で出ても、追いかけないんだよ。でも、後援会の脱税だけで辞めさせるというのはすごく響く。あの『週刊現代』はいまだに取ってあるよ。4ページでかでかと。

望月　それはわかっていなかったな。

安倍さんが2回目に辞めたときも、実は「桜を見る会」疑惑があって、あんなの一人あたり5000円でできるわけがないからお金を議員側が補塡しているのではと言われていた。まさに安倍さんが「読売新聞を熟読していただきたい」と言った読売が詳しかったのだけれども、辞めると言ったのが8月ですよね。5月、6月ぐらいから体調を崩しはじめてはいたのだけれども、7月には特捜部がホテルニューオータニに行って、「桜を見る会」（前夜祭）の実際にかかった費用の資料などを出させているんですよ。そうすると、安倍さんにその話は伝わっているから、特捜部に今後やられるとわかるじゃないですか。これはいずれにしろ事件になるな、ということは、たぶん7月の時点ではわかっていたはずです。

そういう意味で、1回目のときもそうでしたけれども、刑事事件に追い込まれるかもしれないということは、健康問題があったにしても、かなり精神的なプレッシャーですよね。それは大きかったのかなと。

佐高　それで身体がおかしくなるかもしれないしね。

この国は誰が総理大臣になっても駄目なのか

佐高　あなたは自民党の議員で一番年上は誰あたりを知ってるんですか。菅か。

望月　菅さんから直に情報を取ったことはないですね。話をしたのは会見の場だけです。星さんも、鮫島浩さんも、菅さんからも情報を取っているように見えます。そうなると徹底的には批判しづらいかもしれません。そのぐらい菅さんの記者の取り込み方がうまいというか、学会でもいいし、統一教会でもいいしという感じです。

菅さんでびっくりしたことがあって。上川陽子議員が法務大臣だったとき、入管法の改正で外国人に対して全件収容主義はおかしいということを言った佐々木聖子さんというハト派の入管の官僚がいるのです（現在退官）。彼女は10年以上前から日本の外国人対応はどうあるべきかを議論するための勉強会をやっていて、菅さんは彼女を初の女性入管局長に抜擢した。よく意見を聞いていると聞きます。あるいは、シングルマザーの人たちが作った「キッズドア」という、親の経済的状況が大変な子どもたちを教育支援している団体があって、そこの代表で与野党に顔が通じる渡辺由美子さんという方がいるのですけれども、渡辺さんとこの間しゃべったときも、菅さんや他の議員に呼ばれて切実にこの状況をアピールしたが、積極的に動いてくれたのは菅さんだったと言うわけです。菅さんは退陣してからいろいろな人から話を聞いて、いろいろなところに手を伸ばしている。右左がない人だからできるのでしょうけど。

佐高　佐藤優みたい。それはまずいな。

望月　選択的夫婦別姓のことも「今こそ」と言ってましたね。総理大臣のときには言わなかったのに、ああいうしたたかさがある。

佐高　野中広務も夫婦別姓に賛成だった。

望月　ちょっと似ているところがあるかもしれない。ただ、野中さんは戦争を知っていたから、沖縄に対する向き合い方が全然違うというのが、菅さんとの決定的な差ですけれどもね。

佐高　菅は自分で、梶山静六の弟子だけれども、梶山と違うところは平和主義だと言っているよ。

望月　菅さんが自分のことを平和主義と言いますか。

佐高　いや、そこが梶山と違うと言っている。菅の怖さというのは、あなたも「いろいろなところに手を伸ばしている」と言ったけれども、あの忙しい官房長官時代でも、岸井成格の勉強会に最初から最後までいて、いいお話を聞かせていただきましたというところ。

望月　お前のことは見ているよ、と。

佐高　それはびびるよね。

望月　びびりますよね。東京オリンピック贈収賄事件では、菅さんが特捜のターゲットと言われていたのに、結局、そうはなりませんでした。この2年見ていても、河井克行元法相夫妻の公選法違反事件とか、日産のカルロス・ゴーンの金融商品取引法違反事件とかを年末にやって、ゴーンには逃げられました。もう表向き捜査終結宣言しているのです。

五輪の疑惑では、知り合いから聞いたのだけれども、広告代理店の社長とかが捕まりましたが、そのときに役員とかもみんな特捜に呼ばれていて、担当検事が関係者の一人に「狙いは菅だ」といきなり言ったそうです。でも、本当に狙っていたらたぶん言わないと思うんです。特捜としてやりたいけれどもできない。だから言ったのかなと、私の推測ですけれどもね。本当に逮捕したいと思ったら、そんなうかつに言えないじゃないですか。菅さんだ、森さんだと言っていたけれども、今のところ、報道を見る限り、読売新聞もデカデカと「捜査終結」と一面肩で書いているわけです。

菅さんを逮捕したら、田中角栄さんに次ぐ特捜が逮捕した2人目の元首相ということになる。そうなると、永田町でも菅さんは厳しいね、みたいな話が飛び交っていたけれども。田中さんのときはアメリカの圧力もあったからできたのでしょうが、安倍さんでもひょっている特捜が菅さんをできるのかなと思うので、今のところ菅さんの線は消えてしまっているわけですよ。

そうすると、岸田さんの支持が下がってきて岸田さんじゃ駄目だとなったときに、永田町では次に河野太郎さんを担ぐのかなどと言われながらも、また菅さんが出てくるのでは、という話が出てくる。菅さんは相変わらず不死鳥のようにいるから、統一教会も、私じゃない安倍さんなんだ、と周囲にも言っているわけです。そこはちょっと言っておかないと。

佐高　そもそも検察というのがものすごく危なかったわけだよね。黒川弘務が検事総長になっていたらめちゃくちゃだった。黒川がならなくてよかったけれども、甘利なんて大臣室で金もらっているのに何で復活するのか。

望月　おかしいですよね、大臣を辞めて許すというのは。国会議員を辞めないと許されない話なのにね。

佐高　岸田が勝ったときに、甘利が最初に幹事長になるじゃない。岸田は甘利をものすごく頼りにしているわけよ。伊集院静もわからないことがあると甘利に聞くなんて『週刊現代』のコラムで書いていて、よりによって甘利に聞くかと。

大体、検察というのは、少しはまともになったんですか、あの黒川問題の後。

望月　今回、「何が何でも菅さんを狙う」という話が永田町で回っていたときは、検察庁法改正法案をやろうとしたときの菅さんへの検察の恨みがすごいと聞きました。検察に対しては、歴代政権は距離を保っていたわけですよ。でも菅さんは手を入れたじゃないですか。あれに対する怒りが、今の次席検事の森本宏さん（現・最高検察庁刑事部長）を含めてすごいらしいんですね。今まで歴代政権が踰《こ》えなかった矩《のり》を踰えて、法制局長官も入れ替えたり、最高裁判事の人選に介入したり、安保法制のときを含めていろいろなことをやっていましたよね。そして歴代どの政権もやらなかった検察庁の人事にも手を入れたということへの怒りがすごいと言っていました。

佐高　つまり、政治の常識とか原理とかを知らないやつがどんどん増えてきて、さっきの政教分離の話でも、宏池会はまともかというと、宏池会出身の岸田がぐらぐらになっているという……。

望月　誰がなっても駄目なんですかね。岸田さんはやりたいことが見えないし、河野太郎さんはあまりにも強気。

佐高　ブロック太郎だよ。ブロックはまずいでしょう。一番嫌な話を聞かなきゃいけないのに。

望月　私はブロックされてないです（笑）。河野さんと1回やりとりしたことはあるんですけれども、ブロックしてしまうというのは、人間的にどうしても器が小さい感じはします。SNSを見なければいいのに、見てしまう人なのでしょうけれども。

佐高　田原総一朗さんから聞いたけれども、反原発を言わなくなったでしょう。何で言わないんだと田原さんが河野に言ったら、河野が「今は麻生さんの目があるから言えないけれども、首相になったらきちんとやりますよ」と言った。田原が朝生で「河野はやらないと言うけれども、今は麻生の目があるからやらないだけで首相になればやると言っている」と擁護のために言ったら、河野からブロックされてしまったみたい。

望月　ブロックですか？

佐高　それから、河野事務所からすごい抗議の電話が来たという。

望月　どうせ本音なのに、そこが小さいんですよね。そんなこと言っていないよと言っておけばいいのに。

佐高　おやじの河野洋平も器が小さくて。

望月　「3ジジ放談」でやっていた河野洋平さん、太郎さんを含めていかにいい加減な親子なのかという話、面白かったです。

佐高　沖縄返還密約事件で西山太吉が捕まるでしょう？　西山さんの裁判のときに、河野も裁判に出て西山を擁護しているのよ。それがその後、河野が外務大臣になって、アメリカの公文書が出た後か、国会で質問されるわけだけど、それを認めないんだよ。お前、昔西山を擁護しただろうと。

望月　何でそのときは擁護したんですか。

佐高　そのとき河野は新自由クラブを作ったばかりで、既成の政治家に対して新しいイメージを打ち出そうとしていた。そこで貫けばいいのよ。

河野洋平が輝いていたころに、矢次一夫という岸信介の代理人みたいな黒幕がいたの。私が田原さんに打診してインタビューさせたのだけれども、その人は河野のことを「金魚代議士」と言ったんだよ。観賞用で食えない。森喜朗が首相のときに河野が外務大臣で、森が「神の国」発言をしたとき、河野は何にも言わないんだ。そのころ私が神奈川新聞にコラムを持っていたから「金魚は死んだ」と書いたら、神奈川新聞が（文末に）「か」を付けやがった（笑）。

望月　「か」は付いたけれども、載せられるだけいいですよね。今の神奈川新聞じゃ載せないですよ。菅さんの批判は全然書かないし。

佐高　河野をわーっと批判したら、神奈川は選挙区だからまずいと思ったのか、河野が同じスペースを要求して反論してきたの。反論になっていない反論なのだけれども。

望月　「神の国」発言について批判してきたのですか。

佐高　訳のわからない言い訳みたいなことを書いていたけれど。後から聞いたら、それを書いたのは若宮啓文（朝日新聞政治部記者）だったという話で。自分の選挙区だから見過ごしにはできなかったんだね。

佐藤優と創価学会

望月　佐藤優氏は今回、統一教会のことを、寄付金のことでかばっていますよね。宗教というのは寄付金で成り立っているところがあるから、そこに制限をかけたりするのはおかしいと。

佐高　佐藤の場合は創価学会の立場を通すとよく見える。学会も、昔は金を取らないと池田大作は公言していたわけよ。ところが今は財務という形でものすごく金を取る。

望月 それも問題ですよね。佐藤氏は何でそんなふうになってしまったんだろう。どこかでお金じゃなくて、宗教的なもので触れ合ってしまったんですかね。

佐高 佐藤は一応自分はクリスチャンと言っている。ただ、金持ちというのは1円でも減るのが嫌なものらしいよ。

望月 そういう心理なのですか。

佐高 学会御用の松岡幹夫という学者と対談して、そろそろ学会員の首相が出てもいいころだと佐藤が言っているんだよね。それを今X（旧Twitter）で流したら面白いと思う。

望月 まさに統一教会と一緒じゃないですか。国の税収を寄付金に回そうみたいな発想になりそう。

佐高 あと、人気商売には学会員が多いでしょう。ベストセラー作家というのは金もそうだけれども、自分の本が売れなくなるということに恐怖心がある。学会員は固い顧客なんだよ。宮本輝の本を出すときには、今回、信濃町の買いが15でみたいな感じのカウントからはじまる。

望月　15万部学会員が買うということ？　すごい。

佐高　ピアニストとか、オペラ歌手でもチケットを買い上げてくれる。

望月　学会が？

佐高　うん。オペラ歌手の佐藤しのぶも学会シンパと言われているよね。佐藤しのぶと対談するときに、一応コンサートを見てから対談という話になって行ったんだよ。そうしたら学会の人ばっかり。コンサートを聴くような感じじゃない客がだーっといるんだよ。

望月　学会の芸能人もすごく多いと言いますね。

佐高　あと、俳優はやたら多いよ。NHKだってすごいし。外務省も裁判官も、司法の中にもいるよね。そう言えば『週刊新潮』の長井秀和の記事（2022年11月24日号「『長井秀和』が明かす『創価学会』と『政治』『献金』『2世』」）、あれは面白かった。

望月　彼はすごいですよね。

佐高　やっぱり中の話というのは迫力があるね。うちは何千万か寄付していると思うと言って、（統一教会の）１００万円のつぼとか、創価学会の人からしたら「はぁ？」みたいな感じなんだと。

望月　安いということ？

佐高　そう。あれはびっくりしたね。

望月　親がどっちもでしたっけ。

佐高　両親とも学会で、創価小学校、中学校、高校、大学。

望月　そこまで行っているのに、よく脱会できましたね。

佐高　そう言えば、改竄した検事でも学会の人がいたよね。

望月　ちょこちょこいるのは知っていますけれどもね。学会の検事とか裁判官とかね。

佐高　それから、松本人志は兄貴と母親が確か学会員だよね。松本学会員説もある。それから、橋下徹会員説もあるんだよね。あれは微妙なところで学会とけんかしそうでけんかしていないんだよ。

望月　やっぱり統一教会は他人事にはできないですよね。芸能は学会に相当汚染されているから、久本雅美さんとかもすごい活動に熱心だと聞くし。知り合いの音楽関係者は、そういう人とはなるべく組まないようにすると聞きましたけれどもね。

一方で、学会婦人部の平和勢力みたいな面がそれなりに力があって、そこは評価できる。でも、その人たちがみんな小池百合子都知事支持なんですよ。東京都で彼女が絶大に強いのは公明の婦人部を完全に押さえているからと聞きましたし、小池さんの世代からすると、あそこまで自分を出して上り詰めていったというのは、ある種の憧れなんですよね。だから、学会のおばちゃんは小池百合子ラブという感じらしいですね。平和主義とはほど遠いのに。

佐高　浜四津敏子がけっこう頑張っていたというね。私と大学が同期なんだよ。

望月　学会だけれども、慶應でしたか。

佐高　慶應法学部に行って、盗聴法か何かのときに一緒になったんだよ。同期ですよねとか言って楽屋でしゃべっていた。途中から出てこなくなったけれど。すごいいい演説をしたのに、自公連立になってしまったからぱたっと来なくなった。私はあのころ「ニュースステーション」に出ていたから、浜四津の盗聴法のときの演説を出そうと言って流した。

望月　出したのですか。

佐高　うん。テレ朝の人がそこに音楽をかぶせたのよ。「あなたはもう忘れたかしら」って。さすがと思ったね。

望月　いいな、そういう遊び心が。今は本当に（「報道ステーション」は）つまらないから。そんなことをやっていた時もあったのか。それで忘れたんですかと。

佐高　浜四津は押し込められていたというんだよね（2020年11月死去）。

望月　あまり自民批判するなということ？　彼女はリベラルな人だったんですか。

佐高　だって、盗聴法反対で集会に出てくるのだから。私が学会批判して、浜四津も批判したら、学会の中から見当違いだと、浜四津は中で頑張っていると手紙が来て、そんなことを言っても私は知るかと。そういう手紙が来たよ。

望月　今の公明にはそれがない。

佐高　統一教会とのけじめがなくなるのは自公連立政権からなんだよ。創価学会を組み入れたから。

望月　宗教は強い、選挙もやってくれるし、となりますよね。

佐高　だから、自公連立という禁じ手を使って自民党がおかしくなったんだよね。

望月　今、まさに公明がいなくては選挙が勝てないとよく聞きますもんね。それはそういう宗教的熱狂の選挙。

佐高　河井克行の応援に佐藤優が行っている。推薦人になって選挙応援にも行ったと自分で書いている。

望月　何で河井さんなんでしょう。

佐高　河井もちらっと押さえておきたいと思ったんだろうね。

望月　佐藤氏はあれだけいろいろな知識があって、論評する人だから、佐高さんではないけれども、堂々としていればいいじゃないと思うんですが。性格ですか。

佐高　知識しかないということがわかっているから。

望月　そういう意味の信念がないからということなんでしょうか。仕事を増やしたいということなんですか。自分への批判は嫌だし、仕事を増やすための戦略なんでしょうか。そうなってくると、もはや何がしたいのでしょうか。

佐高　私は佐藤のことを「知識の武器商人」と書いたんだよ。あれが彼にとっては痛かったみたいだね。右にも左にも知識を売るわけだよ。それと「雑学クイズ王」という言い方も応えたんじゃないか。

原発と広告

望月　星浩さんを私のYouTube（「Arc Times」）に呼んで政権交代の話をしたのですが、たぶん維新の会としては自民と組むつもりがなくて、そうすると、政権交代を狙うには立憲が維新を取り込まないとしょうがない。ずっと共産党と一緒にやる限りは政権を取れなくなってしまうから、共産は閣外協力になるだろうと。ただ、星さんはそれが叶うのは私が死んだ後だろうと言っていましたけれど。

佐高　そういうやり方をすると、やたらと右に寄ってよくない。

望月　右に行く必要はないんですよね。だって今、戦争に舵を切っているんですから。

佐高　そう。そこらへんが安住淳あたりは怪しいわけです。

望月　あと、岡田克也幹事長がかなり復権しているみたいなことを言っていましたね。だから、立憲はたぶん底を突いたと思うという言い方をして、星さんは評価していました。

佐高　星とか鮫島というのは、やっぱり肝っ玉がないよ。

望月　鮫島さん？

佐高　鮫島浩の『朝日新聞政治部』、あれは菅を批判していない。

望月　確かにそういう感じで書いていたかもしれませんね。でも、取材して書いていると思いましたよ。

佐高　取材して書きゃいいというもんじゃない。それはそれで菅の完全なちょうちん記事だ。政治部の先輩の早野が泣いているよ。取材して、逆に取り込まれているんだろう。

望月　そういうことなんですか？

佐高　そうなっちゃうのは、自分に何かがないからですよ。

望月　なるほど。ただ鮫島さんと話して、今の岸田さんが官僚の言いなりになっているんだなというのはよくわかりましたけれども。原発もそうだし、安保3文書に関しては、実は2022年の6月ぐらい、日米首脳会談の直後ぐらいには、もう防衛費43兆円を財務省が呑んで固めていたと星さんが話していました。それを年末にしれっと出してきた。岸田さんの側近たちは、警察官僚、外務官僚とか、みんな官僚出身系の人たちしかいないそうです。元経産事務次官の嶋田隆さんもそうですけど、その言いなりになっているという言い方をしていました。

佐高　嶋田は1回、東電に行ったからね。

望月　柏崎刈羽原発の再稼働をしないと、4000億円の赤字が出て東電がかなり危ないという話がありました。今後の新規原発建設は難しいと思っているけれども、休眠期間はカウントしないことにして、60年以上の稼働延長を認めた。あれがけっこう東電を救う話らしいんですよね。

佐高　東電はやっぱりあのときにつぶすべきだったんだよ。「盗人猛々しい」とこの間書いたんだけれども。

望月　本当にそうですね。

佐高　原発に余計な金を使っておいて、それで何が電気料金値上げだと、ふざけるなと書いた。原発宣伝費にも金を使って、あれは半端な額じゃないよ。なのに、あの金を誰も問題にしない。だって、アントニオ猪木の選挙応援で1億円使うんだから。

望月　1億円！

佐高　20年ぐらい前の話です。それを猪木の秘書が暴露した。

望月　猪木さんはそんなに原発のことをやっていましたっけ。

佐高　要するに、猪木に原発推進の青森県知事選挙を応援させたかった。それにちょっと行くだけで1億円だよ。

望月　それは講演料か何かなんですか？　すごいな。

佐高　それでみんなびっくりしたんだよ。猪木の1億円だけじゃないんです。ほかにも散々ばらまいて。20年か30年前で、原発の広告に出ると500万という話だった。断った人がそれを書いたわけ。3・11の前のことです。だから私は、3・11の後に佐藤優が原発の広告に出ているのを見て、謝礼は1000万だろうと書いて佐藤に訴えられた。130万円しかもらっていないとか言って（笑）。

望月　でも、130万だったんですね。

佐高　でもその130万円だって、本当かどうかわからないんだよ。向こうの申告ですからね。1000万と書いたのは間違いかどうかわからないけれども、根拠はなかった。でも、130万円もらっていると向こうは認めたわけだ。そうすると、まんざら1000万も完全な言いがかりではなくなるわけで、だから、和解の条件で、私は1銭も払わなくてよくなった（笑）。

創価学会＝公明党が与党であるおかしさ

佐高　野党がだらしないとよく言うじゃないですか。確かに立憲民主党もだらしないけれども、公明党が与党であることがおかしいんだ。公明党が野党になれと、最近私はそう言っているのよ。何度も言うけれども、公明党が与党にいることがおかしい。公明党が創価学会と一緒になって自民党を応援しているというのは、統一教会と一緒の構図だよ。
　だから、野党がだらしないと言うけれども、野党であるべき公明党が与党にいることのおかしさを追及したほうがいい。当たり前のように、今みんな「自公」と言っているでしょう？　あと、国土交通大臣はずっと公明党なんだよ。

望月　あれは利権ですよね。何がそんなにおいしいんだろう。やっぱりすごいんでしょうね、あの大臣ポスト。

佐高　今テレビでもラジオでも、聖教新聞とか創価学会の広告がびっくりするぐらい多い。幸福の科学の広告も、朝日、毎日、読売とまたやたら出ているよね。

望月　でも、党員は減っていますよね。あと学会員も減っている。

佐高　減っているけれども、金は持っている。だから、毎日新聞出版は田原さんの『創価学会』を出し、朝日新聞出版で佐藤優の『池田大作研究』が出ている。表立って公明党を批判したら、必ず地上波から追い出されるよ。

望月　宗教ビジネスはすごいですね。これも世相を反映しています。

佐高　統一教会を契機にして、野党たるべき公明党が与党に吸い寄せられているということを突かなきゃ駄目だと思う。

そもそも池田大作という人物の出自が街金なんですよ。街金で金を貸して、貧しい人たちをどんどん信者にしていく。だから、宗教ビジネスというのは、ある意味貧困ビジネスでしょう？　だから松本清張は、貧困ビジネスで集まって、それなりに生きがいを感じている創価学会員と、貧乏人の抵抗を組織した共産党をくっつけようとして「創共協定」というものを考えて、池田大作と宮本顕治の対談をプロデュースするわけです。ここがつながると、底辺からの何かのうねりになるだろうと。創価学会がファシズム化しない、共産党も支持を広げるということで、いいだろうと清張は考えた。だけれども、共産党と手を結んだことによって、公安が創価学会を監視対象にすることになりそうになって、池田がびびって協定がぽしゃってしまった。

望月　池田さんなんて、もっと危ないことをいっぱいやっていそうですが……。

佐高　共産党はもともと公安に慣れているから。

望月　盗聴されている前提で生活していそうですね（笑）。

第三章　軍拡から「生活《いのちき》」を守る

佐高　望月さんはカラオケなんかに行くの？

望月　最近全然行かないですよ。学生のときは行きましたけれども、そのときに何を歌うかですか。

佐高　うん。

望月　石川さゆりさんの歌とかをたまに歌いますけれどもね。

佐高　「津軽海峡冬景色」。

望月　今の若い子たちが昭和の歌を歌うんですよね。20代、30代の女の子たちに歌わせると、中森明菜さんとか、松田聖子さんとか、キョンキョン（小泉今日子）とか、ちょうど私たち世代の昭和の歌を歌いはじめる。どうしてなんですかね。私が「津軽海峡」を歌ったりする感じと似ているんですかね。

佐高　それはスマートフォンの発達と関係あるのかね。昔のを簡単に聴けるから。

望月　そうですね。Ｓｐｏｔｉｆｙとかで聴けるから。

佐高　私は本当に演歌が好きなわけだよ。演歌を聴いて涙ぐんだりしている。田中真紀子と対談したときにそう言ったら、真紀子は信じないわけよ。自分はクラシックなんかを聴いているんだな。「バッハが好き」とか言うんだよ。私は本気で演歌が好きなんだと言っても、最後まで信じなかったね。私の場合は情念。カラオケで演歌を歌って、情念に触れたい。

望月　演歌が必要だと。

佐高　そうそう。私の古くからの友人の三浦光紀（音楽プロデューサー）は、佐高は書いていることはパンクっぽいのに、歌うのが演歌なのはなんで、って言っていた。でも、三浦も生き方は演歌なんだよ。

それで、山口二郎が安倍晋三追悼の野田佳彦の演説に感激したって話があるでしょう。

望月　みんなにこてんぱんに言われていましたね。最低だと。

佐高　久野収と林達夫の『思想のドラマトゥルギー』、大変な名著ですけれども、その本の中で久野先生は、たまに演歌の世界もなぞっておくことが必要だと言っている。そうしないと、簡単なお涙頂戴に足すくわれると、久野先生が言っているんですよ。だから、山口二郎なんかまさにその典型。

望月　だから、普段から演歌を聴いておけ、みたいな話ですか？（笑）

佐高　まあ弁明なんだけれども、政治というのはお涙頂戴の側面もあるから、演歌で免疫を付けておく。演歌はどこか奴隷の韻律というところがある。久野先生は、お涙頂戴の毒を知っておかないと、大インテリは簡単にやられると言っているんだけれども、山口二郎は大インテリではなくて、軽インテリだと。

望月　野田さんと近いんですかね。どこかで接点があったんでしょうか。

佐高　野田は元民主党だからね。

「客観報道」の害

望月　佐高さんは新聞は何を読むんですか。朝日新聞、東京新聞ですか。

佐高　朝日、毎日、東京はとっているよ。経済評論家だけれども、日経はとっていない（笑）。

望月　うち（東京新聞）も含めて、新聞は変わってきたと思いますか。

佐高　やっぱり薄くなっているよね。

望月　薄いというのは、情念が感じられないという意味で。

佐高　うん。ジャーナリズムもそうだけれども、情念と理念というのをどううまくマッチさせるかということが大事で、でも新聞なんかを読んでいると、けっこう情念が足りないよね。

望月　あっさりしているな、みたいな。

佐高　切り抜きしたくなるのが少ない。昔は切り抜いて、新聞がばらばらになってしまったけれども、そんなことは最近ないね。何かどの新聞も似てきているね。朝日も変だけれども、それぞれの特色がなくなっている。中立、客観といったら、特色がなくなるよ。

望月　客観報道とか言われて、昔に比べると各紙の特色が弱くなった。昨日もそんな話をしていたら、昔の文化・芸能の記事は、本当に読みごたえがあったけれども、今のはみんなはっきり記事が下手くそだという言い方をしていた人がいた。昔はもっと新聞の中から熱量が伝わってくる毒々しさとか、生々しさがあったみたいな感じだったのかなと思います。

佐高　自分が知っていることを書くんじゃなくて、訴えかけるというか、口説く。今はそういう感じがないよね。

望月　それは主義・主張を押し付けるということとも違うということですか。イズムというよりも、もっと現場はこうなんだみたいな話がズドンと来るという……。

佐高　結局、語りかけというのは簡単に言えば押し付けでしょう。それを恐れて、客観報道というのはないんだよ。すべてその人の主観報道なわけです。ところが、客観報道という名前をずっと聞くと、最初にはねられるのは情念だと思うんだな。それは新聞とか何かの衰退の原因だよね。

「新聞屋」に明日はないのか

望月　元朝日新聞の鮫島浩さんはいろいろ批判されているけれども、私は偉いなと思うのです。彼はアメリカのような報道調査ジャーナリズムが本来は新聞社の核心なはずなのに、政治部で官邸キャップをやって、デスクをやって、部長、社長みたいなルートができてしまっていること自体、日本のジャーナリズムが終わっていると言っています。だから、脱記者クラブ的に進むために、彼がデスクでやっていた特別報道部というところで、とにかく当局が絡まない、当局がやっていない、当局を基にしないネタをやるということを掲げて、書けないものは書かなくてもいい、とにかく当局に縛られないネタを持ってこいとやる。それでスケート連盟の不祥事から抜くのだけれども、そのときはすごく活気づくし、情報も集まるわけです。そこで新聞協会賞を2回取ったから、それをどんどん大きくして、最終的には政治部とか社会部という枠組みを外して、記者クラブの担当番記者みたいなところも外していきたいというのが狙いだった。

私は本当にそうでなくては駄目だと思います。今でも、記者クラブは彼らの巨大な利益だから記者クラブ制度は絶対に手放したくない。そこの問題点を感じている人は言うけれども、これをメディアは手放したがらない。中にいれば、官邸の名だたる人と電話1本で会えるし、検察庁でも総長、事務次官と電話1本でアポを取って会えるわけだから。でも、それがジャーナリズムの本質かというとそうではない。アクセスジャーナリズムみたいなものが異様に育っているのが日本だけれども、その分、調査報道、アメリカのピュリツァー賞とはかけ離れたものが評価されてしまっているのが現実です。

佐高　あなたなんかも言われるでしょう、記者クラブ制度って何なのと。

望月　言われますよ。だから、そこの疑問視が一番多い。私が最初に騒がれたのは加計疑惑で総理のご意向文書を再調査するかの官房長官会見のとき。当時は松野博一氏が文科大臣で「検討します」と言ったけれども、彼は検討できないわけですよ。官邸が決めないと、加計学園再調査は決まらなかった。でも、政治部の番記者は諦めているわけではないですか。菅さんが調査を尽くしたと言っているのに、「尽くしていません」と言ったら、裏でがんがん怒られるわ、ネタは取れなくなるわだから聞かないし、聞けないわけですよ。

でも、それはおかしいでしょうと言ったことはあったけれども。記者クラブがあって、その中でも強固な菅番という記者たちがいた。安倍さんの場合はごひいきにするメディアがＮＨＫと読売で、記者も誰ともう決まってしまっているから、ネタもそこには来るけれども、ほかのリベラル系の新聞や通信社、テレビ局は取りづらかったと聞きます。菅さんはそこがうまくて、安倍さんが相手にしないリベラル紙の記者たちをフォローしたり、ネタを出していたと聞きます。だから、「菅さんを怒らせすぎるな」とすごく怒るわけですよ。でも、そもそも番記者制度がなければ、日々朝から晩まで「菅さんから情報を取れ」みたいなことが使命になっていなければ、記者もだいぶ違ってくるのではと感じます。でも、これはおかしいですよね。

佐高　それは言われて久しいけれども、直らないよね。

望月　直らないし、結局手放したがらない。

佐高　あなたが見ていて、記者の中でこの人は頑張っているなという人はいるの？

望月　フリーランスの畠山理仁《みちよし》さんや、横田一さんでしょうか。畠山さんとはたまにお会いしてやりとりしましたが、フリーでやっているけれども、あんなに全国を回って、お金も大変だし、世の中の人に「選挙の畠山」と有名になって、誰かに追いかけられてお金を渡されそうになったりするらしいんですけれども、そういうお金は受け取らないところも含め偉いなと思いますね。お金を渡そうとするのは単に支援者なのかもしれないけれども、畠山さんは全国を回ってやっているのがわかるから。

佐高　小池百合子の「排除」発言は横田さんが引き出したものだよね。

望月　ああいう現場に地をはうように行って、みんながひるんでしまうような質問をがんがんやっていることへの共感はすごいですからね。畠山さんを追ったドキュメンタリー、前田亜紀監督の「NO選挙、NO LIFE」はとても面白かったです。横田さんは「デモクラシータイムス」で毎週動画をやっているけれども、YouTubeの投げ銭で、「横田さんへ」というと、横田さんにお金が行くようになっているそうです。そのお金を出張費に使っている。デモクラファンの横ちんファンみたいなのが多いと言っていた。すごいことだなと思います。

佐高　びっくりするようなところにも飛び込んでいくから、かなり追い返されたりしていたのでしょう。

望月　鈴木エイトさんもすごい逸話があります。エイトさんは、あまり騒がれていないけれども、菅さんはけっこう統一教会を利用していたと思うと言っていて、その一つの傍証として彼の手下だった菅原一秀元経産大臣は統一教会と近くて、取材をかけていたら、電話に出なくなったので、「事務所に行きます」と告げて事務所に行った途端に警察に通報されて、警察に捕まった。不起訴になったけれども。

佐高　東京新聞の同僚たちは、取材対象を大事にするか、そこから距離をとって淡々と客観的にやるという発想が強い人が多いんでしょうか。

望月　私は取材対象者にのみこまれがち（笑）。お前、そっちの言い分はいいけれども、こっちの言い分はもうちょっと聞いているかみたいな感じで、引っ張られがちなところはあって、それはある種取材対象者に一気に入り込めるけれども、距離を置けない。あまり片方の言い分に寄るなみたいなことは、デスクには言われます。特に私の場合は。ただ、私みたいなタイプは、そんなにいないかな（笑）。でも、東京新聞は温かくて優しい記者が多いと思いますが。東京新聞だけれども、政府批判しながらもこっちにも話を聞くみたいなことは、やらないといけない。双方に話を聞くのは記者として当たり前なんですけれどもね。

安田菜津紀さんはフリージャーナリストで人権のこととかをやっているじゃないですか。安田浩一さんもそうだけれども、彼らと私が少し違うのは、当局側のほうをわりと長く取材することかな。それでも私は菜津紀さんとか、浩一さんのやっていることがよりジャーナリストとしては大切と思います。記者クラブ制度は強固だから、多くの記者が官僚や政治家側に引っ張られがちですね。人権弾圧と批判されている入管とか、法務省幹部の話ばかりクラブにいると聞いてしまうから。私からすると、収容されている人の話とか、それを救おうとして勝てないけれども戦い続けている弁護団の話のほうが、声なき声として取り上げるべきものがたくさんある。でも法務省のクラブにいると、こんなとんでもない外国人がいっぱいいるからこんなことをやっているんだという、政府としての言い訳をたくさん聞かされるから、そこに入ってしまうと、新聞記者といえども私のようにはならないというか……。それは記者の素質というよりも、そういう場所に置かれるとそうなってしまうということなのかと。

佐高　構造的にそうだと。

望月　構造的になりやすいんだと思います。鮫島浩さんとか私も当局側を見てきたから問題視してしまいますよね。一歩クラブから離れると、つくづく飼いならされているように見える。

佐高　当局当局と言うなら、当局のやつらの言い分を徹底的にほめ殺しみたいにしてうわっとやる手もあるわけですよ。あいつらここまで言うんだという話を。

松本重治という『上海時代』を書いた戦前・戦中のジャーナリストが、軍部の人間が「お前と私の違いは、お前は中国人を人間として見ている。私は中国人は人間ではなくて豚だと思っている」と言ったのをそのまま書くわけだよ。

望月　失言を。

佐高　失言というか、本音だよ。それがどっちの意見も載せるんですということで消えてしまうんだな。

望月　でも、葉梨康弘法相が更迭された（「法務大臣は死刑のはんこを押す地味な役職」「統一教会問題に抱きつかれてテレビに顔が出た」「法相になっても金にも票にも縁がない」と発言して法務大臣を辞任）のは、まさに自民党の会合で普段言いまくっていたことのようでした。それを「ニュース23」が誰かからキャッチした音声を流して、一発アウトになりました。

佐高　もっと、例えば葉梨なら葉梨で、そいつの今までの発言で記事を半分ぐらいまとめてしまうとか、そういう手もあると思うんだ。こっち側の主張を一人載せて、もう一方の主張を一人載せて「中立です」みたいな客観報道というのはくそ食らえだと思うんだよ。客観報道なんて、そんな新聞なんて要らない。

前にしゃべったかもしれないけれども、天皇の戦争責任のあるなしで、私の本を読んで市民運動をやっている北海道の室蘭の米屋さんがいるんだよ。その人が、北海道新聞からコメントを求められて、ありと発言したわけ。同時になしという見解も載せた。そうしたら右翼に街宣をかけられたんだよ。「赤い米屋」だと。それは商売に差し支える。北海道新聞はその後どうしたかは知らないけれども、両方載せましたでおしまいじゃない。ある意味犯罪だよな。だったら、徹底して戦争責任ありという主張を載せればいいと思う。

望月　ある種の逃げなんでしょうね。

佐高　そうそう。

望月　言い分を書かなくてはいけないというのは、わからなくはないですけれどもね。

佐高　だったら、原発賛成の記事ばかり載せてきて、反対をずっと載せてこなかったんだから、100日間原発反対を載せて、ようやくタイになるというぐらいなんだよ。そのへんの新聞というか、客観報道で両方の主張を載せるというのは大嫌いだな。それが絶対に新聞を腐らせていっていると思うよ。

中国派と台湾派

望月　安倍さんがいなくなったけれども、2022年末の安保改定でまた敵基地攻撃だ何だと盛り込まれて、防衛費はGDPの2%と、あと5年で年10兆円超にしようとしていますよね。すごくばかげた話だし、今、中国の学生さんたちに話を聞くと、日本は脅威でもないし、関心もないという答えがほとんどなのだそうです。敵基地攻撃とか、何とか攻撃とか、日本の中だけでは大丈夫か、それでは駄目だとかやっているけれども、そんなことへの関心さえ、特に若い世代は持っていない。もうちょっと上の世代や、かつて日本から侵略も受けたけれども、いろいろ日本の中で学んだこともあるという高齢者は、一定の批判と一定のリスペクトがあるのだけれども、若い世代にはそれさえないと言っていました。

佐高 教えられるものもないだろうしね。韓国だってそうなんじゃないの。賃金は韓国に抜かれているでしょう。

望月 韓国には2015年か、16年で抜かれて、台湾にも抜かれています。

佐高 望月さんは、外国はどういうところに行ったんですか。

望月 取材ではオーストラリア、イスラエル、アメリカくらいですね。旅行ではほかにも中東、アフリカ、インドなど何か所か行きましたけれども。

佐高 中国には行っていない？

望月 中国は夫と結婚する前に何回か行ったぐらいで、北京、上海とか回りましたけれども。完全に観光だし、取材ではないですね。今の中国は、それこそ街並みも全然違いますよね。

佐高　経済安保でも何でも、結局自民党の中の2つの流れが、いつまでもずっと綱引きしているんだなという感じがする。つまり、かたや岸から安倍、かたや石橋湛山とかの流れ。前者は反共・台湾でしょう。そこに統一教会だよ。後者はそうではない。中国とそれなりの関係を保っていかなくてはならないという、この綱引きがずっと続いているんだね。そういう感じが最近つくづくする。

望月　当時の田中角栄さんとか、そういう清和会とは対立するような人たちの、親中派的なうねりみたいなものは、今の自民党の中にありますか。二階さんがそれなりに中国にパイプがあることはわかるんですけれども。

佐高　うねりといっても、当時だって角栄は暗殺の危険さえあったんだから。青嵐会という石原慎太郎とかを中心とした台湾派がいたでしょう。吉田茂も結局台湾派なんだよ。それから佐藤栄作。その人たちは、今で言えば統一教会に近い人たち。結局、親中とかリベラルというのはあの時代からいつも少数派だよ。それはあまり変わっていない。

望月　アメリカが強いということですよね。

佐高　そう。慎太郎なんかは散々角栄の足を引っ張っておいて、その後、『天才』とか田中角栄の本を書いてしまうわけでしょう。お前だけは書いてはいけないよという話なんだよ（笑）。だから、高市早苗とか、安倍とか、萩生田とか、ああいうのに似たのは田中角栄時代もいたわけ。それが例えば石原慎太郎だったんだよ。あいうのをのさばらせては駄目なので、統一教会問題は徹底してたたかないと、あいつらは引っ込まないよね。

望月　今だとまだ萩生田さんは職を追われていないですし……（その後、安倍派のパーティー券裏金問題で政調会長を辞任）。

佐高　統一教会問題をかわすために、存在感を示すと言って台湾に行くでしょう。中国を刺激するわけだよ。そのパターンというのは青嵐会と同じだね。まだ青嵐会のときには、統一教会というのはあまりなかったというか、力がなかった。統一教会問題は憲法改正とも絡むけれども、ここで本気で対峙しないと、絶対にあいつらが復権することになるよ。

今こそ中村哲を！

望月　萩生田さんに関しては、統一教会問題で全然力をそがれている感じがないですよね。むしろ増税議論に関しては、国債でやれという安倍派の意向を最大限プッシュして、党内ではそれなりの発言力を持ってしまっている。

ただ、懸念されるのは、統一地方選がはじまって、２０２２年末の茨城県議選で10人自民党の候補者が落ちたというのがあって、それだけ影響が茨城で出ると、今やっている増税議論、国債だろうが、法人税増税だろうが増税には変わりないから、それに対する国民の反発はけっこう強いと思うんです。ほとんど国会の議論もないまま、いきなり防衛費5年で43兆円という数字が出てきた。それがどのぐらい来年の地方選に影響するかで、そこで彼らが大負けすれば、ゆくゆくは影響が出るんでしょうけれども。

佐高　今の防衛論議なんかを聞いていても、すごく危ういと思うのは、国民もある種それを望んでいるみたいな感じになっているでしょう。しかし、こちらは「今こそ中村哲だ」と思うのよ。防衛費がいくらならいいとかいう話ではなくて、軍備で命は守れないという、完全な対抗シンボルでしょう。そういう形で押し返していかないで、防衛論議に反対だ、増税反対だというだけではものすごく弱いと思う。

中村哲さんが日の丸を付けて車で走っていると、タリバンでも攻撃しなかったと言うでしょう。日本国憲法の話はそういう話じゃない。それを防衛費2倍とか簡単に言って、防衛費を2倍にしても守れないだろうと思う。

望月　中村哲的な議論を本当に真剣に考えていったほうがいいのに、防衛費増額を言う人はお花畑すぎると思います。でも、ウクライナを見てみろというのが今の主流になってしまっているんですよ。ウクライナの影響は相当に大きかったなと思います。インフラ施設が攻撃されたり、マイナス何度という零下なのに、ブルーシートで体を覆うみたいなことをやらされていたりとか、あそこで起きていることが、今の多くの日本人の感覚として、私たちもそうなるんじゃないかとなった。

だから、政府も重武装に大きく舵を切るし、アメリカも戦争をするかしないかはわからないけれども、戦争ができるようにしておいてもらったほうがいいんでしょう。

佐高　ウクライナの問題はあるけれども、日本国憲法ができたころだって、ある種の理想論だということは承知の上ではじめた話ですから。アメリカが原爆を落としたときに、一応日本政府は抗議しているんだよね。原爆を落とした国を信じられるのというのは、殴られたのにまたついていくみたいな、DV男についていく女性みたいな話になっちゃうじゃない。

望月　かつては天皇絶対で、天皇のためには命も捨てられるとやっていたのが、今はアメリカ絶対になっていて、アメリカのためなら命を落とせるという、日本が米中の間に入って防波堤になるんだみたいな、アメリカが思い描いている図式にうまくはまっているわけですよ。それは日本人はみんな気づいていないけれども、アメリカ様のために軍拡も進めるし、武器もアメリカから買いますという、準戦時体制みたいなことに移行していく。

その先はアメリカが思っているように、アメリカは手を出さないけれども、日本と中国が小競り合いを行うみたいなことになっていく。かつては天皇絶対だったものが、今はアメリカ絶対になっているということの証でしかないと、白井聡さんが言っていたのですけれど。

佐高 それはそうだけれども、石橋湛山とか田中角栄というのは、アメリカに抵抗したんだよ。そこをもっと主張しないと。天皇の代わりがアメリカになったんです、ああそうですか、でおしまいじゃない。石橋湛山は吉田に追放されるわけ。あれだけ戦争中に抵抗した人が公職追放になった。だったら日本人は全員公職追放だよ(笑)。田中角栄もエネルギー自立でつぶされたというけれども、アメリカ様の言うことを全部聞いているだけじゃないわけですよ。そういう人を発掘して示していくしかないでしょう。宮沢喜一なんかは本気で頑張っているんだよ。そういう人の頑張りを探さないと。

望月 もはやそういう人がいないんじゃないですか。

佐高 宮沢の写真を岸田は掲げているんだから、宮沢はこうやったんですよということをくどいほど教えるしかないんだよ。

望月 自民党の中でかつての石橋さんとか宮沢さんみたいな人はいないと思います。

ちょっとまともな議論ができるのは、せいぜい石破茂さんぐらいですよ。石破さんは武器に詳しいから、軍拡の結果、今やろうとしていることは全然軍備増強になっていないんだということを彼は言っているんです。マニアックなんですよね。

でも、軍拡ありきの議論になってしまっているから、果たして防衛費増額の結果、本当に装備が強化されるのかとか、いろいろなことを考えたときに、今の議論は相当おかしいのではないかと石破さんは言っている。制服組の陸海空のトップそれぞれがやりたいといった装備を、欲しいならどうぞと簡単に言うのは、人を増やせない中でひたすら武器だけが増えていく状況なので、その武器が本当にそれなりのものなのかどうか。軍事オタクの石破さんからすると相当偏りがあるし、そういう議論に行かないで、国債だろうが法人税だろうが、1・5倍が当たり前ですという枠組みになってしまっているのがそもそもおかしいと言うわけです。だから、どちらかというと石破さんは反米なんですよ。

でも、そのぐらいかなという感じです。

佐高　アメリカ様にみんな従っているというふうに白井なんかが言うから、ちょっとした意見がみんな反米にされてしまう。その議論も、悪作用しているんだよ。石橋、田中はアメリカと明確に距離をとっているわけだから。

望月　そういう人が本当にいないんだと思います。

佐高　それは政界だけを探したらいないかもしれないけれども、それを探すのが新聞記者、メディアの役目じゃないですか。

望月　石川健治さんとか、五野井郁夫さんとか、「立憲デモクラシーの会」の何人かとやりとりをすると、政権は完全にアメリカ追随とか、軍拡、増税既定路線みたいな方向を出そうとしていて、政治の側でそれを別の方向にしようという人たちが出てこないという話をしていました。民意はみんな軍備増強は仕方ないだろうとなっている。でも一方で増税は嫌だみたいになっている。そうじゃなくて、1950年代にあった中立路線みたいな、あくまでもアメリカだけに寄らないかつての議論をもう1回出すべきではないか、それを学者の中から出そうという話になっていました。

五野井さんは熱くて、周りが諦めていても自分たち世代が別の基軸を主張して、アメリカ追随にならないようにしなくては駄目だと思っている人なんですよ。知識だけでなくアクションをする人です。

佐高　与党の中には、公明党も入っているんだよ。そのときに、公明党を徹底して責めていく、お前のところは理念として平和の党を掲げているじゃないか、というふうなゆさぶりをかけていくとか、そういうのも必要なんだけれども、そういうのはあんまりやらないね。

望月　でも、公明党なんて今、見ている限り何のキーマンにもなっていないし、自民党に追随してしまっている。だから敵基地攻撃容認とか安保3文書も、そして殺傷能力のある武器輸出も認めてしまった。

佐高　公明党は少なくとも少し前まではそうではなかったわけだよ。

望月　でも、安保法制のときも乗っているわけですよね。

佐高　要所要所で自民に協力してきて、何が平和の党だということを突きつける。それで、与党から引きずり下ろす。自民党は公明党なしでは当選できない議員をたくさん抱えているんだよ。防衛論議なんかはじまったら、いきなり統一教会が薄くなっていくよね。でも、その新聞のスタンスがあまり好きじゃないな。ちゃんと「今日の統一教会」みたいな欄を残しておいてよ。

望月 今のニュースはそれ一色ですもんね。安保3文書と。

佐高 そうすると、また「空白の30年」が生まれるよ。

望月 「空白の30年」というか、戦争をせざるを得なくなりますよね。完全に戦争になるんだろうなという気がします。

佐高 私はいなくなるから(笑)。そんなことを言っては駄目だけれども。

望月 安倍さんが去ってもこれだったなという。岸田さんは、国債を使いませんというところのみ頑張っているというだけだし。

敵基地攻撃容認みたいな流れに対して、政治学者の中野晃一さんたちが武力に頼らない道筋、「平和構想骨子案」というのを対抗軸として出したんですよね。東京新聞では大きく火曜日の朝刊一面の肩に載せた。共同座長に学習院大学の青井未帆さん(憲法学者)とか、NGOピースボートの川崎哲共同代表が就任して、有志15人の「平和構想提言会議」というものを立ち上げるそうです。ちなみにその日の一面トップは、安保3文書の大転換を密室の協議の中でやって、議事録もまったく公表されていないというニュースでした。

佐高　その構想には、もちろん賛成だけれども、どこかで聞いたような案だなとも思う。シンボリックに中村哲を押し出していくという話のほうが、よっぽど有効だと思うけれどもね。

望月　中村哲さんを見習えみたいな話ですか。

佐高　「中村哲の平和構想」という名前にするとか。

望月　シンボリックに、確かにそういうほうがわかりやすいですよね。

佐高　軍備では国は守れないんだと。

望月　でも、こういうことが本当にニュースにならない。横暴なことを政府がやっている一方で、「平和構想」みたいに、学者たちはこういうことを言っているということが、そもそもニュースにならないんですよ。与党の中は、防衛費増額は国債でやるのか、法人税でやるのか、みたいな話ばかり。今日も自民党前に各社5、6人記者を張り付けているけれど、その流れはどうでもいいですよね。両論併記と言いながら、日本のメディアはもう1本の基軸を全然伝えてないんですよ。五野井さんとか、「平和構想骨子案」の川崎さんや青井さんたちが一生懸命小さいながらもやっていることが、全然ニュースになっていないですから。

佐高　彼らのやっていることも、もう一つ情念が足りないんだよ。中村哲がやったことは、一定の効果を示しているわけだよ。中村さんが安保法制の議論のときに自民党議員に野次られたけれども、それに対して、きちんと言い返しているでしょう。そういうことをもう1回取り上げたっていいはず。

望月　ただ、中村哲さんを尊敬して、中村さん的にやろうというだけではみんなわからないんじゃないですか。政府が具体的に安保3文書とか、敵基地容認を出しているわけですから、それに対して具体的にこういう政策をしますというふうにしなければいけないと思うんですけれど。対抗軸として中村さんのやってきたことは素晴らしいからみなさん見習いましょうでは……。

佐高　それをやらないと流されていくわけだよ。そうしないと、単に政府を追いかけていく話になってしまうじゃない。全部敵の土俵の中の議論になってしまう。

統一教会のときも空気が一夜にして変わったでしょう。そういう変えさせるべきものを追いかけたほうがよっぽどいいわけじゃない。私は新聞の政治部偏重みたいなものものすごく気に入らない。統一教会問題から何も学んでいないよ。

望月　そうなんだけれども、予算を決めたり、私たちの税金を何にいくら使っていくのかということ自体を決めるのは国会での議論で、政府・与党が決めたことを国会で承認するかどうかですから。

佐高　そうではなくて、政府がそこまで言っていることを国民がひっくり返す、そこにもう1回望みをかけるしかないわけでしょう。政府の議論だけを追いかけても、国民はまた変なことをやっているのかでおしまいだよ。だから、そこで中村哲が必要なんだ。

新聞記者の一部は、税金がどう使われているか一生懸命考えているのかもしれないけれども、国民はそもそも、税金がどう使われていようが、それが問題だとも思っていないでしょう。それを変える契機というのは、政府の動きを追うことだけでは出てこない。私が言っているのは、それに反対する流れを新聞が作るんじゃないかということなんだよ。

望月　中村哲さんをある種シンボリックに、全メディアが連日やるみたいなことが必要なんですかね。もしくは政治家ですごく影響力のある平和主義者が出てきて、大衆を引き付けるみたいな動きがあったら違うかもしれないですけれども……。

中村さんのことは、各社それなりに没後3年の節目で扱っていたけれども、殺された直後に比べるとやっぱり扱いは弱くなってしまっていますよね。メディアも殺された直後はかなり大々的にやっていたけれども、棺さえ日本政府がお迎えに来なかったということがあった。政府側としては、中村さんみたいな、武器を持たずに、農地を耕し人の生活を豊かにすることで平和を築くんだという本来あるべき姿を取り扱いたくなかったのかなと思います。当時は安倍政権だったし、安保法制反対の証人で出ていたということもあるけれども。中村さんの生き方を描いた映画（『荒野に希望の灯をともす』）が今いくつかの映画館で上映されていますけれども、広がりはまだそんなにない。

このままではまた「空白の30年」が生まれる

佐高　確かに政策決定過程というのは大事なのだけれども、日本はそっち重視でずっと来たから、改めて統一教会問題がなぜ「空白の30年」になったのか。それは一生懸命弁護士たちはやっていたのに、被害の実態を新聞が追って書かなかったからだよ。

今度の論議を聞いていても、岸田なり自民党の議員が被害者の声とか信者2世の声とかをきちんと聞いていないでしょう。聞いてどう思ったとか、そういうところを新聞は追及していく。そうでないと、向こうの設定した場でいつもやられるんだよ。新聞記者というのは特オチ（他社が報じたニュースを自社だけが報道できないこと）ということをすごく嫌がるでしょう。私に言わせれば、統一教会の問題を報道しないこと自体が特オチじゃないかと思うんだけれども、そういう感じにならない。その体質が改まらないと、また同じことをやるだろうなと思う。その象徴のようにさっき防衛費論議の話を聞いていて思った。

望月　今の議論だけを追いかけているところが、ということですよね。こういうかなり大きな国の方向が変えられるときに、誰を立てて闘うことが可能なのか。今全然イメージとして出てこないんですよ。中村哲さんのことをわかっている一定のインテリはいても、でも若い子はマザー・テレサは知っていても、中村哲って誰だろうという人もいるかもしれない。

佐高　あと、統一教会問題は終わっていないのに、ある日のニュースは統一教会ばかりだけれども、ある日は統一教会が全然ないとかというのは、メディアとしておかしいと思う。防衛費増額はもちろん大事な問題なんだよ。ところが、その話がはじまるとそのことばかりの報道になってしまって、統一教会問題は消えてしまう。最近のメディアは、うちはこれで行くというのがないのかなという感じがするんだよな。

望月　そうは言っても、安保3文書のことと防衛費43兆円はでかい話だから、今日これは一面じゃなくて、社会面でいいやというふうには、私は感覚的にならない。みんなが与党・政府だけしか追いかけないというのはおかしいと思いますけれどもね。

佐高　さっき言ったように、それだったら公明党はどういう過程でそれに賛成したのかとか、それを追及するという仕方もあるわけじゃない。そういう話じゃなくて、自民党の総裁室の前に何人か記者が張り付いているだけというのは、納得できないな。

望月　野党が敵基地攻撃反対とみんなでまとまってやっているわけでもないし、野党の動きもわからない。

佐高　記者の大半も本気で怒っていない、そこだ。野党の対案が駄目だという言い方に行くんじゃなくて、与党を切り崩すという、公明党のだらしなさを徹底して突いていくという話でやれと言いたい。新しいやり方、角度を見いだすような、ある種の編集者としての才能が新聞記者にないんだよ。だから新聞は終わったと言われているんだ。

望月　昔ほど抵抗する記者なんていないし、幹事長番の会見なんて全然追及して聞いていないし、今政府が打ち立てている方向に物申すみたいな姿勢の与党担当なんかほぼいないです。だから、必然的に記事もそういうふうになる。いったいどうすればいいんだろう。

とはいえ、安保法制のときよりも戦争準備を容認している空気が強いのは、ウクライナ戦争が起きて、ひたすらメディアがウクライナへのロシア侵略を報じていたというのが、反作用として出てきているのかなというのはありますけれどもね。世論調査でも防衛装備は拡充すべきだという結果が出ている。

佐高　銃が1挺から2挺に増えて、それで攻撃を防げるのかと思うんだよね。新聞が読者に挑戦していないんだよ。さっき記者が本気で怒っていないと言ったけれども、この方向で駄目ならこの方向でというのを、デスクとかは考えていないんじゃないか。

望月　そうは言っても東京新聞はかなり政府に批判的なので、政府とは違う対抗軸を発信している有識者の会議を報道しようとか、そういう発想はあります。安保3文書の話が決まったときも、実質は密室協議15回で決まって議事録公表がないとか、そういうことを一面で報じ続けていますけれども、いかんせん影響力は弱いなというのはありますよ、新聞はね。

佐高　さっきから言っているように、与党の一部、公明党を突けということ。そこが陥穽になっているよね。すぽんと空洞が空いているんだよ。

望月　書いても通らないのかもしれませんが、確かにその発想から記事を出している新聞社はないですね。

佐高　公明党にちゃんと聞くんですと。何で賛成なんですか、それは通るじゃない。ちゃんと向こうの言い分を聞くんですと。別に批判しなくていいんだよ。それと、改めて半分の紙面でもいいから、中村哲の話をしろということ。そこから浮かび上がらせないと。

望月　中村哲さんで心を揺さぶれ、みたいな感覚？

佐高　この間、「『新しい戦前にさせない』共同テーブル・アピール」という声明を書いたときに、中村哲さんの話をしながら、「暮らし（いのちき）は武器で守れない」というタイトルで書いた。暮らしというのは、大分の方言で「いのちき」と言う。大分出身のノンフィクション作家・松下竜一さんがよく「いのちきしてます」

と言っていた。だから、命に由来する生活、暮らしというのは、武器では守れない

という話を書いた。

軍拡とは生活を削ること

望月　先ほどの防衛費43兆円が6月に決められていたという話を聞いただけで私はもう力が抜けました。みんなが何で43兆円も、と怒っている数字が、6月ぐらいにはもう決まっていたとは。

佐高　官僚の頭の中にはあったのかもね。

望月　年3兆円あれば、教育無償化も給食費無償化もできると言われています。それで結局年末に出てきたのは、年4兆円の軍拡のための増税議論だった。こんなとでは日本の少子化は止まらないじゃないですか。これから日本がつぶれていくかもしれない、人口減少が止まらない中で、軍拡でいきなり年4兆円も作れるなら、どうして少子化とか教育無償化にもっと早く手を打てないのかという怒りは、はっきり言ってありますね。

佐高　歴史は繰り返すというか、「あやまちはくりかへします秋の暮」と三橋敏雄が俳句を詠んだんだけれども、つまり前のときの戦争もそうなのね。苦しくなった、狭い日本には住み飽きたと、外に出るわけでしょう。そうしたら、必ずそれは生活に回す金を削ることになる。今の防衛費の話と似ているんだよ。

望月　そうするしかない。

佐高　戦前は国家予算の半分以上が軍事費になってしまったわけだ。すると、もう出ていくしかないよね。だから、防衛費増額を認めちゃったら、もう完全にそこで負けですよね。

望月　それで教育無償化の話になったら、じゃあ増税しなければならないと甘利明さんが言うのは、本当に汚いと思うんですよね。軍拡に関しては、国債でとか、そういうことを言い出すけれども、軍拡はイコール私たちの税負担であり、生活を削るということでもある。

佐高　だから、先ほども言ったけれども、「いのちき」か軍拡かと言っているの。どっちもということはありえなくて、どっちかなんだよ。中国文学者の竹内好が安保のときに「民主か独裁か」と言ったんだけど、どっちかなんだという話で抵抗していくというしかないということですよね。

望月　でも、一部リベラル論客の中には、やっぱり敵基地攻撃能力ぐらいは持っていなきゃとか言う人もいますけれども。星さんとか。

佐高　星なんか、リベラルでも何でもないよ。

望月　敵基地攻撃能力を認めた時点で、もうかなり軍拡容認ですよね。攻撃されていないけれども、アメリカがやれと言ったらやりますという前提です。

佐高　やっぱり政治記者というのは、政治家が怖がるような政治記者じゃなきゃ駄目なんだよ。星なんか全然怖がられていない。早野なんかはやっぱりちゃんと怖がられていたからね。だからなおさら、やっぱり早野が恋しくなるよね。

台湾有事を煽ることの罪

佐高　西山太吉さんが軍拡をする岸田は宏池会を名乗るなと怒っていたけれども、2世、3世政治家というのはポストなんだね。何かやりたくて政治家になっているんじゃない。だから、首相になったら、いかにその座を守るかという話になる。

望月　やりたいことがないんでしょうね。

佐高　平気で息子を秘書官にしてしまうじゃない？　ああいう感覚は普通はないよね。

望月　岸田さんはあまり親中ではないとは聞きましたね。中国に対する親しみというものがない。ただ今回の3文書の前に、菅さんがバイデンとの会談での共同声明で台湾有事を明記したじゃないですか。あれはかなり大きいことで、アメリカ側に相当ウェルカムされたみたいです。外務省なんかは書き込むのに反対だったらしいんですね。

それがまずあるから、今回の安保3文書で、台湾有事での日米共同作戦みたいな感じの話にさらに踏み込みましたよね。岸田さんは、中国とのパイプはあまりないというのもあるし、ここのところの香港に対する弾圧とか、南沙諸島を勝手に占拠して軍事基地にしている、ああいうのをいくつも見ていて、中国をかばうような親中的発言が自民党内ですごく少なくなってしまっているらしいんですね。

菅さんからすると、インバウンドは重要だけれども、中国は放っておくと何をするかわからないから、がつんとやっておいたほうがいいんだというようなことも言っていたらしいです。

佐高 でも、ヤーさん並みにがつんとやれる力なんて、日本にはもうないよ。

望月 でも、そうやって言ってるらしいんですよ。

佐高 だから、ほとんどばかなんだよね。これは2世、3世が多くなっていることと、すごくつながる。

望月 菅さんはたたき上げですけれどもね。菅さんは本は全然読まないと聞きました。ただ、政治の嗅覚だけはすごいんじゃないですかね。

菅さんにしても、今は岸田さんを批判したいけれどもあからさまにはできない。できないから、微妙な言い方をするというか、岸田さんは派閥にとらわれすぎだと言う。でも、むしろ派閥にとらわれているというよりも、嶋田秘書官の言いなりであり、財務省の言いなりであり、警察官僚の言いなりです。自分がない分、全方位外交みたいなことをやっているんですよね。

佐高　ただ、昔話みたいであれだけれども、中国派が肩身が狭いというのは、昔と一緒なんだよ。それでも田中角栄と大平正芳は暗殺を覚悟して日中国交正常化をやったわけでしょう。今の状況だと、林芳正（官房長官）あたりがそこまで踏み切れない。

望月　林元外相に期待したけれども、駄目でしたね。

佐高　強硬な反対派と、多数派に寄る人間というのは常にいるわけです。特に自民党の中に。その多数派に寄るやつらが、わが物顔になっているという……。萩生田光一と世耕弘成も台湾に行ったよね。

望月　そうですね。ああいうことをやることで、アメリカにすり寄る姿勢を示すんですね。蔡英文が総統になってから、財界人でも台湾に行っている人が多いけれども。

佐高　でも今、もし中国と経済断交になって困るのは日本のほうだからね。食料からもういきなり駄目だよ。あいつらはそういうことを考えないのかね。

望月　タカ派的には、煽ったほうが支持率は伸びると思っているのかもしれない。

石破さんも行ってましたし。

ただ、星さんが言っていたのは、台湾の人からすると、もちろん戦争になることは望んでいないし、親中派も多いんだけれども、独立までは望んでいないもののやっぱり中国とは違うという意識はある。中国に近い台湾の海域はすごく浅瀬だから、潜水艦がいてもすぐにキャッチできるんだけれども、台湾の東部の沿岸はすごく深くて、そこには潜水艦が1000メートル以上の深さで入れるんだそうです。そこを完全に中国の潜水艦で固められると、アメリカの空母が来たところで、やられちゃうじゃないですか。もし1機やられちゃうと、本当にものすごい損失なので、中国が台湾沿岸部を全部潜水艦で固めた場合には、もう空母も入れない状態になるから、そういう意味での怖さはあると、台湾の人は言っているらしいんですよね。

ペリー来航のとき、後ろに戦艦がたくさんいて日本を脅かしたみたいに、中国が本格的な軍事力行使をしなくても、威嚇で制圧していくみたいなことをやられると、アメリカもさすがに対抗するのは厳しいだろうなと思います。

佐高　でもそれは田中均が『サンデー毎日』で言っていたように「戦争は外交の敗

北」、外交の失敗の後の話でしょう。そうなった状態でやりあったら負けるよ。

もう一つ、台湾有事を考える場合に忘れてはならないのは、台湾人に対して日本人はひどいことをたくさんやっているわけですよ。霧社事件（１９３０年）とか、めちゃくちゃなことをやっているわけ。それをけろっと忘れて、今はいかにも台湾の味方ですみたいな顔をして……。台湾に対してはいいことばっかりやったみたいな顔をしているじゃない。冗談じゃない。

望月　そうですね。

佐高　一衣帯水じゃないけれども、いざとなったら、台湾と日本、台湾と中国、どっちが近いのか。いざとなったら中国と台湾が一緒になって日本を排除に来るかもしれない。その可能性を全然考えないというのは、おめでたすぎないかと思う。台湾有事即日本有事なんて、櫻井よしことかが一生懸命言っているけれども、その前に、台湾がそれを望んでいるのかどうか。日本に2度占領されることを、むしろ警戒しているんじゃないのかと言いたい。

望月　台湾はそんなに警戒してるんでしょうか？

佐高　みんな今の状況しか考えてないんですよ。
　望月さんは台湾に行ったことありますか？

望月　行ったことはありません。でも、最近みんな台湾に行っていますね。本当はどうなんだろうと私も見てみたいし、けっこう簡単に、今ならまだ行けるじゃないですか。本当の有事になったら行けなくなるから……。

佐高　旧満州に行ったときにはびっくりした。ここは日本だみたいに、日本の建物みたいなものがどんどん出てくる。日本が占領していたから。台湾に行くと、それと似たような感じに襲われる。

望月　占領していたんだなと、見た目でわかるんですね。

佐高　だから、私なんかは、あまり居心地よくないんだけれども……。

望月　日本語をしゃべれる人も上の世代だとけっこういるんでしょう？

佐高　あと日本の歴史を頭にたたきこまれている。今は台湾観光が盛んだから、向こうはそれは確かに歓迎するよ。でも、台湾有事は日本有事なんだとか言うと、櫻井よしこと変わらないじゃないかという話になってしまうよね。あるいは高市早苗みたいに、自分が生まれていないときの責任は負えませんとか……わけがわからないことを言っている。

望月　台湾では反中感情はあるんですか。すごく親日なイメージですけれども……。上の世代では反中が強いということでしょうか。

佐高　それは複雑。表面では歓迎していても、こんちくしょうと思っているというのはたぶんあるんでしょう。

望月　でも、中国のこれだけの軍拡は怖いんじゃないですかね。だって、しょっちゅう上空を飛んでいるんですよね。威嚇もあるし、あと、東京オリンピックのときに、台湾に中国と書けみたいなこともありましたね。

佐高　それはまったく日本も同じじゃないですか？　ベルリン・オリンピックのときに孫基禎《ソンキジョン》の日の丸を消して報道した東亜日報の記者を処分した。日本が偉そうに、正義の騎士みたいな顔をしてはいけない。

望月　台湾に本当に日米軍が入っても、日本で上陸侵攻を戦えるような自衛官はいないんじゃないかという話も出ていますよね。

佐高　先ほども言ったけれども、戦うとなったら、それはもう我々は負けだよ。中国は確かに軍拡しているけども、中ではやっぱりすごい不満も出てきているでしょう？　それは絶対に出てくるんだよ。軍拡というのは外に対してのものだからね。

望月　習近平が中国人民解放軍を抑え込めていないという話もありますよね。だから、こういう異様な拡張主義的雰囲気になっているのかもしれません。

佐高　それは日本が一番よく知っているはずなんだよ。かつての歴史に倣って言えば。

望月　軍は暴走していくということですよね。

佐高　そうです。中国でずっと拘束されていても、中国の体制に反対している人はいるわけでしょう？　そこらへんも考えないと、習近平が怖いと言って、そうすると一番喜ぶのは誰かという話だと思うんだよ。

台湾に寄りすぎたとき、たいてい日本は間違っている

佐高　台湾有事がもし起こった場合というのを共同通信の石井暁記者に聞いたところ、一つの中国論というのが日本は国是としてあるから、台湾には冷たいようだけ

れども、外交で戦争を終わらせる努力をしつつ、とにかく絶対に戦争には関わらない。そこを盾にして、存立危機事態という宣言はしないで済むようなことを、とにかく法的にやっていくことぐらいしかないんじゃないか、ということを言っていましたね。

望月　石井さんは自衛隊の関係者にすごく食い込んでいますよね（著書に『自衛隊の闇組織』）。彼が一昨年に沖縄タイムスの阿部岳記者と書いた、辺野古基地は実は米軍だけじゃなくて日米共同で使用するという、当時の防衛局トップが密約を交わしているというスクープがありました。防衛省は完全否定していますけど……。

でも、安保3文書の後の2プラス2が出た後の発表では、嘉手納も岩国も三沢も横田も全部共同使用という前提になっているんです。だから実質、米軍の負担を自衛隊が徐々に補っている。CSIS（戦略国際問題研究所）というアメリカの日本ハンドラーたちがよく使っているシンクタンクの報告書では、台湾有事ではすべてのシナリオで勝てるとアメリカは見込んでいるけれども、いずれにせよ、日本が協力するという前提がなければ負けると書いてあります。

佐高　私が西山太吉さんとの対談でなるほどなと思ったのは、沖縄返還の条件が日本の基地の自由使用だったわけです。そこでもうすべてが決まっている。その前の池田勇人や、池田内閣で外務大臣だった大平正芳は沖縄返還を急がなかった。佐藤栄作は自由使用でいいと認めて、沖縄返還となった。

望月　それでもいいから、返還してもらおうということですね。

佐高　あと、自民党の右派は、岸信介以来、ずっと台湾派だから、その歴史の総括も必要だろうと思う。それは安倍に至るまでずっと続いている。台湾に寄ったときに、たいてい日本は間違っていると思うんですよ。

望月　田原総一朗さんが言っていましたが、中国としては、親しい政治家である二階俊博さんの跡継ぎがいない。それを小泉進次郎さんにしようとしたらしいんですが、小泉さんは親台派だからと言って断られた。それで林芳正さんに持っていって、二階さんも林さんならいいと言って、その間をつないだという。中国派と台湾派というのが自民党の中にはあって、今は親台派がすごく多いそうです。

佐高　親台派はつまり統一教会なんだよ。それはつまり反共ということで、反中国と重なるわけですよ。統一教会というのは反共ウイルスだから、親台派は反中国になる。

望月　そこで重なってくるんですね。

佐高　岸、灘尾弘吉、親台派にはいろんな人がいたよね。だから今、萩生田が台湾に行くというのは、流れとしてはすごくよくわかるんです。

望月　台湾は台湾で、それを利用しているわけでしょう？

佐高　結局、韓国、朝鮮に対しての罪悪感が、台湾に対してはないんだよ。でも本当は完全に同じなんだよね。それを忘れると、櫻井よしこと一緒になっちゃうという話です。歴史をきちんと掘り起こして現在を見るということが必要ですよ。

望月　本当に忘れられていますよね。

佐高　だから、台湾は日本に助けてほしいとは思っていないだろうと思う。

望月　でも、今回の安保３文書と２プラス２を見れば、アメリカは完全に日本を巻き込んでいますよね。ＣＳＩＳの報告書とかを見ると、日本が来ないと負けるけれども、勝っても日本もぼろぼろだし、アメリカにとってもマイナスだし、それぞれ数万から数千人単位で死者が出るし、台湾だって勝ったところで現状のようにはならないと言っているから、いずれにしろ戦争をすると勝っても悲惨だという状況は描写されています。そういう意図で書かれているんだとすれば、それを見て、やっぱり戦争は駄目だなとみんなが思ってくれればいいんですけどね。

佐高　何回も繰り返すけれども、戦争がはじまったら、という論議に乗っかったらおしまいだと思うよ。

望月　でも、そういう議論がウケてしまっていますね。

佐高　そうそう。それでみんな何か専門家面してしゃべっている。

望月　戦争ゲームみたいになっていますよね。「テレ東ワールドポリティクス」というYouTubeに豊島晋作さんという軍事に詳しいニュースキャスターがいるんですね。その人がずっと戦争のシミュレーションをしている。米中台有事で戦争がはじまると、核による威嚇、核による抑止を働かせるために、嘉手納に米軍が核ミサイルを持ち込む可能性があると。このとき日本はどう対処するのかとか、そういうシミュレーションをひたすら解説しているんです。

それで、日本が攻撃を受けていないのに、台湾有事でアメリカが中国から狙われそうだから中国を攻撃せよという指示が来たときに、日本は中国を攻撃できるかどうか。星浩さんは、中国を攻撃する米軍は在日米軍基地、三沢、岩国、嘉手納などから出撃するから、中国からするとそこを攻めるという話になる、そうすると、アメリカが出撃した後に、在日米軍基地が中国に狙われるターゲットになって存立危機事態に陥るから、先に敵基地攻撃で反撃しておくんだみたいなことを言っています。

アメリカ軍がグアムとか何かから行ってくれればいいけれども、日本国内の嘉手納とかの米軍基地から飛び立った戦闘機が、向こうでクラッシュすると、日本国内の在日米軍基地が攻撃されますよね。米中戦争に日本が巻き込まれていく。恐ろしいことです。

安保3文書で「生活」は守れない

佐高　先ほど望月さんが戦争ゲームと言ったけれども、今の話を聞いて、星でもそういう認識なのかと思った。つまり、経済とかのことは全然考えていない。でも、寺島実郎が言うように、新型コロナの中でも米中貿易は増えている。明らかに、日米貿易より日中貿易のほうが増えている。それをどう頭に置いているのかと思う。それでも中国を攻撃しなきゃならないというんだったら、暮らしはもうパーじゃない。そんなありえないことばかり考えて専門家面して、ばかなんじゃないかとしか思えない。星の話なんか聞いていちゃ駄目だよ。

問題になった鹿児島県の馬毛島への基地移転もどんどん進んでいますよね。馬毛島の区長で一人だけ物のわかった人がいて、その人が防衛省の説明と住民の対話を公開にした。それを記録したドキュメンタリー映画(『島を守る』)が、むのたけじ地域・民衆ジャーナリズム賞の優秀賞を受賞して、これがすごく興味深い。

その映画の中で、漁師はもう自分たちの生活が明日から駄目になると言っている。基地を作るとなると、事前調査をやるでしょう? それだけで生活がもう駄目になるんだ、と。事前調査というのは作ることを前提としてやっているんだろうと。そのありさまをずっと撮ってあるわけです。

馬毛島なんてもともと人がみんな出ていく場所なのに、こんなことになったらもう誰も帰ってこない、暮らしが成り立たない。

望月　反対派がそれなりにしっかりしているんですか？

佐高　反対派までいかなくても、基地計画に疑問を出すわけです。その疑問がやっぱり的中するんだよね。

望月　馬毛島のある種子島の西之表市の市長（八板俊輔）は、朝日新聞の出身者なんですよね。基地反対で当選したのに結局容認してしまったと、反発を受けていたりしたんだけれども。

佐高　そのやりとりを聞いていると、本当にどんどん進んでいるんだよね。

望月　進んでいますよね。

与那国島は反対が少なかった。ひもとくと長いんですけれど、2007年にケヴィン・メア（アメリカ国務省日本部長）が来て、当時日本が全然南西方面への防衛強化なんかしていないときに、米軍の佐世保の哨戒艦2隻が小さな与那国島に寄港して、調査をしているんですね。そのとき、米軍が何で来ているんだという話になったわけです。当時はけっこうみんな反発して、追い出せみたいな運動をやっていたんですけど、当時の町長が、単に交流に来たんだと言って、今後は米軍が我が島に来ることはないということで終わったんだけれども、実際にそのとき、ケヴィン・メアが当時のホワイトハウスの国務次官補か誰かに報告書を上げているんです。ウィキリークスで漏れてしまってわかったんですけど、台湾有事のときに、与那国は哨戒作戦の拠点になる場所だという報告をしている。

2008年に佐藤正久議員が後ろ盾をした、糸数健一という今の町長（2021年当選）が、防衛協会（与那国防衛協会）の副会長になるんです。佐藤議員は島の中に防衛協会を作らせるんですよ。その年末に、いわゆる基地推進派みたいな人たちが、町として基地に陸自部隊誘致を要請することをやりはじめた。

与那国島は台湾にすごく近い。台湾まで110キロ、（沖縄）本島までは550キロだから、台湾とのほうが近いし、国境線が引かれる前は交易も盛んだったんですね。今1700人しか島民がいないんだけれども、昔は1万数千人いて、すごく栄えてにぎわっていいた。そういう状況に戻したいということで、前の町長の外間守吉さんは与那国を貿易の拠点にして、台湾との交易を活発にして、もう1回町を繁栄させようとしていた。国交省や経産省も来て、町がけっこう盛り上がっていたんです。

その最中にケヴィン・メアが来た。そうしたら、その翌年、防衛協会が作られて自衛隊誘致の要請をやりはじめてしまった。ただ、その当時はそんな島にしてはいけないと言う人たちが一定数いて、頑張っていたんですけれども、運動のリーダーの青年が、あるとき潜りに行って死んでしまったんです。そのあと、町を変えていこうと言った尾辻吉兼前町長も、心臓発作で突然死する。それだけでもちょっと何か変な感じがするんだけれども、じわじわとそこから陸自基地へのてこ入れがはじまった。

基地反対の住民投票も、2回やろうとして1回失敗して、もう1回やるんだけど、6対4で負けちゃうんですね。だから、結局賛成派多数で、2016年に陸自の基地が作られてしまった。みんなが活気づいて貿易拠点として頑張ろうと言っていたときからじわじわ変わって、最終的には自衛隊の基地は偵察部隊だから仕方ないと認めることになってしまったんです。さらに今回安保3文書が発表された直後、防衛局が、今いる偵察部隊とは別に、東側に18ヘクタールの土地を借りて、そこにミサイル部隊を置いて、地対艦誘導弾を配備するとか、地対艦誘導弾の弾薬庫を作るとか、港も変えて、自衛隊の艦船が出入りできる軍港みたいにするとか、滑走路もF-35が飛べるように2500メートルにするとか、次々と聞いていない話を出してきた。

与那国島の人は大体みんな、自衛隊が来れば家族もいっぱい来るし、少しはお金も落としてもらえるからいいじゃないかと言っていたんだけれども、ミサイルなんかを置くとなったら、自衛隊員の家族も来なくなりますよね。家族連れで来ると言っていた自衛隊の人たちも、何人かもう来ないということになってしまったらしい。町議たちははっきり言ってもうカンカンで、そんなミサイル部隊は我々は認めていない、どういうことなんだ、きちんと町民に説明しろという話になっています。

石垣島でも同じことが起きているんですけれども、ミサイル配備、しかも、地対艦・地対空ミサイルとなると、中国を射程にして飛ばせるものだから、逃げたい市民は逃げられるようにと避難基金の創設とか、シェルターを要望するという話になって、あとはもう逃げるか逃げないかみたいな話になってしまっているんですね。

佐高　そういうことを、新聞ももっと報道したほうがいいんだよ。安保3文書の緊急事態とか専門的な話をするだけじゃなくて、馬毛島の話でも、これをやられたら漁師が暮らしが成り立たないわけだから、そういう話をもっと載せればいいと思うんだ。「防衛」と言うけれども、じゃあいったい何を守るつもりなんだということですよね。つまり安保3文書では何も守られない。最近馬毛島に移住してきた若い家族がいるらしいんだけど、前途が真っ暗だと言っている。新聞は、そういう住民の叫びみたいなものを拾ったほうがよっぽどいいんだよね。

望月　島の声を書き続けなければいけませんね。

佐高　今のこの事態は、安倍でもできなかったようなことが、岸田の真空状態でなぜか無風状態でまかり通ってしまっている。岸田というのはＡＩみたいだよね。岸田晋三、安倍文雄みたいな感じだ。顔は岸田だけれども、やっていることは安倍と一緒。

第四章　明日なき日本を生き抜くために

日本の大企業は「統一教会」

佐高　防衛費増額に絡んで出てきた企業の内部留保が500兆円あるという話はわけがわからなかった。岸田も最初は金融資産課税とか言っていたわけだよ。それがいつの間にか内部留保を活用するという話になった。そういう変わり方をとらえて、この防衛費増額問題を考えるということがなくて、そこだけ報じてしまうんだよ。それはここから来ているという話を新聞に求めるのは難しいのかもしれないけれども、何かみんな、キジが撃たれて、ぱっと放たれた猟犬みたいに、うわっとそこに集中するでしょう?

望月　本当は、単純に内部留保の500兆円を次の産業転換に回せということが政府がやらせたいことなんですよ。でも、次の産業構造転換がうまくいっていなくて、みんな出し渋っている状況だから、それに課税したい。ただそうするときっと中小企業の反発というのがあるだろうと思います。

佐高　それは政府の言い分よ。

望月　いやいや、普通に考えてですよ。

佐高　５００兆円というのは、労働組合が闘わないから賃上げがなくて、そこにたまっているのが半分以上だよ。でも、その話は絶対にしないんだよ。

望月　組合が闘っていないということですか。

佐高　組合が闘っていないというか、労働者に経営者も払っていないわけだよ。払っていないから５００兆円もたまったわけ。

望月　産業構造がもっと変わっていかないと、アメリカのような形にならないと、日本は経済が全然うまくいっていないじゃないですか。あらゆる製造業がどんどん衰退している。次のＧＡＦＡ的なＩＴ産業を含めた新たな産業への転換を進めないといけない。

佐高　産業の転換も、結局国民一人一人の購買力というのが原点なのよ。それが低賃金でやられて、内部留保だけ５００兆円というとんでもない話になっているけど、国民に購買力がなきゃ先行投資も何もないよ。

望月　これは野口悠紀雄さんに聞いた話ですが、世界各国は賃金も上がっているけれども、物価も上がっている状況。でも、日本は組合が弱いから賃金が上がらなくて、物価はようやく上昇率が２％を超えはじめましたけれども、賃金が全然上がっていない状況で、デフレマインドがずっと続いていたところがある。

それは、組合が弱いからこんなことになっているんですか、組合がどんどんなくなっているのですかと訊いたら、実質的に日本の労組が企業の経営方針に強い影響を与えたことはないそうです。今、製造業は異例の円安で国内の製造業の利益自体はすごく上がっているけれども、それが賃金上昇につながらなくてはしょうがなくて、ようやく製造業の利益が円安で上がってきた分、最低賃金の額が上がりはじめていると分析していたんですね。だから、組合が弱いから賃金が上がらなかったというよりも、次なる投資ができないから内部留保がたまっていったというのが野口さんの考えでした。

佐高　野口だって元日銀だから、上からの話なんだよ。

望月　でも、本質的に考えたら、貯めこんでもしょうがないじゃないですか。

佐高　そうあなたは言うけれども、実際の経営者はみんな貯めこんでいるんだよ。

望月　その貯金で、人々の生活を豊かにしたり、自分の会社をよくしたりできるじゃないですか。

佐高　そう思わないのがやたらいるの。実際にトヨタだってそうじゃない。

望月　トヨタは失敗したのがわかっていますよね。EVの市場に乗り遅れた。でも、何でかといったら、ここもまた議論がありますけれども、世界は完全に電気自動車化が進んでいく流れの中で、ここは日本のいいところでもあり、悪いところでもあるのだけれども、ガソリン車に関わっている日本の労働者が550万人いる。もしEV転換すると、ガソリンエンジンが要らなくなるから、まったく違う構造にしないとEV市場で戦えなくなる。下手をするとこの550万人の首を一気に切らなくてはならなくなるというときに、トヨタからすると、それはさすがにできない。EVへのシフトはもちろんめちゃくちゃ遅れていて、トヨタは世界10位にも入っていないんです。

佐高　なぜそうなったかと言うと、トヨタをはじめ各企業が全部「統一教会」なんだよ。経営者がきちんと、あなたが言う「常識」を全然考えていないのよ。組合はそもそも企業別組合だから、自分のところが儲からないと見返りが返ってこないと、簡単な詐術にだまされているわけ。

望月　納得してしまっているということ？

佐高　鶏が先か卵が先かの話だけれども、みんな平均値でしゃべるでしょう。でも、企業の経営者はワンマンばっかりが出てくるじゃない。大体トヨタとか、何で10％も株を持っていないのに豊田家の人間が当たり前のように社長になるのか……。

望月　世襲制と一緒で、よくないことではありますけれども。

佐高　日本の企業はそういう意味ではものすごく遅れているんだよ。

望月　だから、ゴーンはすごく批判されているけれども、外様を呼んで、思い切りコストカットをして、黒字化させて成功させたんですよね。そういう荒業みたいなものが必要なんでしょうか。

佐高　あれは日産が御用組合を作って、第一組合をつぶして、御用組合から塩路一郎というものすごいワンマンが出てきて、経営者と結託してどうしようもなくなって、自分たちでできないから外から首切り要員を引っ張ってきた。それがゴーンなんです。

望月　自分たちで切れないから外に頼む。

佐高　それで、用済みになって菅（義偉）と一緒になって放り出したというのが真相だよ。

望月　日本はそういう意味でも、自分たちの中で大きな組織改革ができないですよね。自動車会社をやりながら、これからEVだと。でも今の雇用も守らなくてはいけないけれども、EVに乗り遅れたら世界の市場に乗り遅れる。では、EVにこれだけお金をかけていこうということができない国ですよね。

佐高　ソニーとホンダは例外だった。そういうところは新製品を生み出すわけだ。でも、ソニーの松下化、ホンダのトヨタ化がはじまったから。

望月　かつてソニーとホンダのようにクリエイティブにやっていたようなところも、今元気がないわけですよね。それはどうしてなんでしょう？

佐高　私なんかが見ていると、統一教会の問題は、日本の会社の問題とそっくりだと思う。この間、金正恩が娘をICBMのそばに連れてきて、各新聞が写真を載せたでしょう。あれは特殊な国だねみたいなことを報じたかったんだろうけど、岸田が自分の息子を公設秘書にして、どうしてあの写真を笑えるわけ？　と思ったんだよ。同じじゃないか。私は会社のトップを嫌というほど見てきたんだけれど、黙って当然のように息子に継がせるわけ。

望月　でもホンダはやらなかった。

佐高　ホンダはやらなかった。

望月　訊きたいのですが、なぜホンダとかソニーがこんなことになってしまったと思いますか。

佐高　本田宗一郎とか、井深大の精神を後継者がきちんと継がなかったんだな。

望月　結局カリスマに頼り切っていたから、その代限りみたいな話ですか？　ユニクロの柳井正さんも1回退いた後に、ユニクロが駄目になって復帰しました。

佐高　同じワンマンでも、松下幸之助とか柳井とは違う。日本ではやたらと松下がもてはやされるけれども、松下と本田は全然違うんだよ。松下はさっき言ったように娘婿に継がせた。本屋に行くと松下と稲盛和夫の本ばっかり売れているじゃない。

あれは編集者がばかかという感じ。まさに統一教会だよ。

望月　結局財界でも、政治でも、カリスマ的な人間が出てこないと日本は、世界もそうですけれども、変わらないのかもしれない。

佐高　カリスマ的というか、本田さんは自分をカリスマだと全然思っていないけれども、当たり前のことなんだよ。息子に継がせないという当たり前のことをやっただけなの。

望月　でも、後の人は本田宗一郎とは違うじゃないですか。

佐高　ソニーとホンダは、特にソニーは日本の会社だと世界は思っていないんだからね。「世界のソニー」と思われている。そういう意味の教訓みたいなものが受け継がれていないというのがすごくがっくり来るよな。

望月　そういうのを聞くと、日本がどんどん駄目になってきたときに、それでも世界を変えていくというある種のカリスマ性を持ったイーロン・マスクみたいな人物が出てくると……。

佐高　望月さんを見ていて危ういところでもあるのだけれども、それだと松下と同じだよ。松下と本田の違いというのを見極めないと。本田的なものを残すために、労働者にもきちんと資産を配分して、生活が安定しなければクリエイティブなものは生まれてこないんだよ。

望月　別に私は松下がいいとは言っていないですけれども、産業が儲かれば労働者にも配分されますよね。

佐高　イーロン・マスクという人はクリエイティブなことをやったんですか？　柳井だって、ユニクロは若い人の離職率が高いんでしょう？

望月　彼の言説には批判も多いですが、EVのテスラやスペースXでの挑戦など、常に新たな技術や産業を生み出していくことに貢献はしていると思います。しかし労働者に対する姿勢は確かに問題があります。ユニクロは組合もないのでは。

佐高　そういうふうだとちょっとなという感じがする。ミソとクソの区別を付けるのをメディアに要求したいという意見でもあるんだ。

連合が駄目になった理由

佐高　内部留保だけ500兆あるというばかな国だよ。そこの内部留保500兆に何も手を付けないで、連合の会長が国葬に参加して麻生と遊んでいるとなったら、向こうからはばかとしか映らないよ。

望月　連合というのは、昔からですからね。労働貴族みたいな立場で、本当に労働者のためというよりも、労働貴族的な立ち振る舞いしかできないから、こういう状況がずっと続いてしまっているのかなと思います。

佐高　もともと社会党系の総評と、民社党という、今の国民民主系の同盟という労働組合のナショナルセンターがあった。同盟というのは反共だから、ほとんど統一教会がバックみたいな、統一教会ウイルスが入っている。この総評と同盟が一緒になってしまったんだよ。それで連合になる。そうすると、大体組織は組織第一になるんだな。だから、本気でけんかできないのよ。けんかしたところをバックアップするというのが本当は労組、連合体の役割なはずなのに、あまりけんかするなよとなだめるのが役割みたいになってきて、なだめるためには自民党と仲良くしたほうが一番いいみたいな、訳のわからないことを言いはじめるでしょう。

望月　なぜこんなに連合が駄目になってしまったのですか。

佐高　基本的には会社別の組合だから、会社の経営がまずくなっては駄目ではないかみたいな脅しが効いている。会社の枠を超えた組合じゃないということね。

それと、総評のほうは官公労が中心なんですよ。つまり、日教組、自治労、つぶれる心配のないところです。

望月　ぬくぬくとやっている感じがします。

佐高　ぬくぬくでもなくて思想的には激しいけれども、こちらから見ると、何だあいつら倒産しないから言いたいことを言っているというのもある。そういう二重の断層みたいなものがある。

それと、大手と中小、会社の大小によって連合の役員ポストも決まるみたいになっている。だから、非正規の問題もそうだけれども、労働者としてまとまるという感じになっていないよね。それで、非常に悪く言うと、社畜の組合みたいになって、そこが自民党につけ込まれている。

もう一つ言うと、今度の芳野友子の問題でわかったけれども、松下正寿という立教大学総長だった人が、確か1967年だったか、自民党と民社党の推薦で東京都知事選挙に立つわけよ。相手は美濃部亮吉なの。革新統一、社会党と共産党の推薦です。この松下が美濃部に敗れて、民社の推薦で参議院議員になる。そのときに、文鮮明と会って、文鮮明に心酔する。世界平和教授アカデミーだったかな、松下がそこの会長になるわけ。その少し前に、民社系の富士社会教育センターも設立されている。

望月　芳野さんが出た富士政治大学校？

佐高　富士社会教育センターの中に富士政治大学校がある。そこで反共教育をやるわけだ。その反共教育に芳野が参加していたんだよ。

望月　芳野さんはその学校を出たことで有名ですね。

佐高　経営側と一緒になるというのと、共産党員、共産主義を恐れる反共が組合に入り込んでしまっている。私は統一教会ウイルスと言っているけれども。共産党の側にも問題がないとはしないけれども、共産党を排除した形で常に労働組合、運動が進められてきている。共産党は共産党で別の組合を作らざるを得ない感じになっているわけです。全労連（全国労働組合総連合）とか。

元連合会長の鷲尾悦也を私は30代から知っている。盗聴法反対の集会をやっていたころ、福島瑞穂のパートナーの弁護士・海渡雄一が集会の企画者で、私が動かされていたけれども、そのころ鷲尾が連合の会長だった。『噂の真相』で私は鷲尾のことを「腐れ連合のふやけたタヌキ」と書いた。それから半年もたたないうちに、海渡が鷲尾のところに行けと言うわけ。佐高さんは鷲尾と昔からの友達なんでしょうと。『噂の真相』に記事を書いたばかりで嫌だよと言ったら、そんなことでは駄目ですよと言われて、鷲尾に電話をかけた。しばらくだねとか言って、そうしたら、明後日からイタリアなんだと。明日の昼なら空いているよと言われた。

望月　記事は読んでいたんですか。

佐高　何も言わないなと思って、では明日と言って電話を切ろうとしたら、最近太ってきたブタみたいになっちゃってさとか、佐高さん、この間何と書いたっけ、と。

望月　読んでたんですね。

佐高「腐れ連合」とまで書いた佐高とどうして一緒にやらなきゃならないんだと

下から突き上げがすごかったんだって。連合は集会参加の機関決定ができなくて、でも、鷲尾がそこは見事で、鷲尾個人の名前、鷲尾悦也と佐高信個人で集会参加を呼びかけるとなった。そうなると組織が大事で、会長が呼びかけると恥かかせられないんだよね。ちゃんと5000人集まったんだよ。

集会の前の日、記者会見があった。私はそれを忘れていたんだけれども、会見に鷲尾が行けないから政治担当局長の高橋均が来た。そのとき、ある記者が「佐高さんはあれだけ鷲尾を批判しておいて、なぜ一緒にやるんですか」と質問した。そこで私が「目的達成のためには悪魔とでも手を結ぶ」と言ったらしいんだよ。「悪魔とでも手を結ぶ」と言われて、隣に座った高橋がびっくりして私をつついたんだって。それで、「もとい、あくまでも戦います」と言って、わっと笑っておしまいだったと言うんだよね。

望月　自分は覚えていないんだ。

佐高　覚えてない（笑）。でも私をつついた彼が覚えていた。さすがにそれで、あいさつで一言は言わなきゃならないと思って、「鷲尾さんを批判したことはありますが、それはそれ、これはこれであります」と居直って、それしか言わないで終わったと言うんだよ。でも、鷲尾もそうだし、その前の山岸章だってちゃんと私のインタビューを受けているんだから。

望月　芳野さんは今受けない？

佐高　受けないね。

望月　神津里季生さんは受けている？

佐高　神津はこっそりやった。私がどこかで批判したら、間に立った経営者と一緒に飯を食った。

望月　歴代会長と比べて、神津さんはどうでしたか。

佐高　風呂の中の屁みたいな人だよ。

望月　でも今となっては、神津さんもまだまともだったと。

本田宗一郎のすごさ、トヨタのひどさ

望月　今、イーロン・マスクがやっていることがすごく批判されている一方で、G

AFAはアメリカの経済が世界経済を含めて悪くなっていくことを見通して、1万人の解雇とかをやっている。X（旧Twitter）に関しても半期で300億か400億赤字が出たから、それを含めて黒字化するために社員を徹底的に切りましたよね。労組がないからここまでできる。半分にして、人権とか倫理とかに関してチェックしていたような人たちも切っているから、ネット空間がどうなってしまうかわからないけれども。

それでもアメリカのすごさは、IT産業がややどん詰まりになっていても、構造改革を進めるときに、次なる領域に行くためにとりあえずコストカットを含めて一気に人員削減するということをばーんとやる。それは正社員的な概念がなくて、高い給料があればどんどん年契約で移っていくことが文化・慣習になっているから。これは日本ではなかなかできないことじゃないですか。それがいいのか、悪いのか。

佐高　日本の場合は、例えばゴーンなんて経営者がもてはやされるわけでしょう。

望月　日本人じゃできないですよね。

佐高　いや、できるんだよ。ありもしない何かを恐れてやらないだけで、やってもどこからもリアクションはないし、連合は全然反対しないよ。『ルワンダ中央銀行総裁日記』を書いた服部正也さんが、イギリスではしょっちゅう組合がストライキを起こす、そういう労働者を相手にしている経営者のほうがよっぽど厳しいんだと言っています。日本の経営者は楽なもんだと言っているわけ。労働者もぬるいけれども、経営者もぬるいんだよ。

もう一つ問題なのは、日本の場合は非正規雇用。

望月　奥谷禮子（実業家）・竹中平蔵路線で、雇用を流動化させようと小泉改革で進められた。これが結局よくなかったようにしか思えない。非正規化が進んだけれども、全然構造改革が進んでいないじゃないですか。非正規を進めれば構造改革が進んで、ＩＴ産業とか、新たな産業がわっと出てきて、同一賃金同一労働で利益を得る人たちがいっぱい育てばいいけれども、そうなっていない。ひたすら非正規が現在、追い込まれている。

佐高　非正規が追い込まれているのは、若者と女性が追い込まれていっているということでしょう。そうすると、ある種のライフラインみたいなところが削られていくわけ。それに対して連合は、表向きは非正規問題に注目しますなんて言っているけれども、あれは正規労働者の組合だから、それで500兆も企業の内部留保がたまっちゃうわけだよ。経営者も今までの惰性でやっているから、内部留保で設備投資もしないし、だから何も起こらずどんどん日本が沈んでいく。

望月　最近聞いて面白かったのが、企業内労組とかの産業医の話を聞くと、心の病を抱えている人にトヨタの下請けの人たちが多いという話。トヨタはようやくEVシフトしますと言ったけれども、ガソリンを含めた自動車産業で550万人の雇用があるから、そう簡単に一気にEVに行ってしまうと、エンジン車も駄目になるし、動けなかった。トヨタはこの550万人を守るためと言っているのだけれども、そこにいる人たちは、そうは言っても世界の趨勢は電気自動車だから、我々には未来がないと思っている。それがトヨタの下請けで働いている人たちの病につながっているわけです。

産業医の相談にそういう人たちが多いというのを聞いて、ある種温存させるということは一見いいように見えるけれども、世界が変わっていくときに、自分たちにも将来の展望があればチャレンジも含めて希望も抱けるのだけれども、単にそこにいて日々飯食うためのお金をもらっているだけでは人間は駄目なのかなというふうに感じたんですよね。

佐高　2つ問題があって、トヨタ自動車や（旧）松下電器が日本の会社の主流じゃないんだよ。日本の経済のある種の発展を支えてきたのは、象徴的に言えばソニーとホンダですよ。独創的な考えで産業をリードした。あと、本田宗一郎という人は息子に会社を継がせなかったわけ。トヨタは何か知らないけれども、大体豊田家の人間が社長になる。あんなのトヨタ藩だよ。そこは最初から停滞しているのよ。松下も真似して大きくなってきたんだから、独創じゃない。

本田宗一郎がすごいのは、ホンダには失敗表彰という制度があるんだよ。

望月　トライしたことを評価する。

佐高　そう。何で失敗を表彰するかというと、これでは成功しないということを証明したと。だから、どんどん挑戦するわけだよ。ところが、トヨタ藩では失敗したら腹切りだよ。そういう形態が封建時代と近代ぐらいの違いがあるから、普通はトヨタに入った時点でうつになってしまうんだよ。

望月　そこだけで空気が停滞してしまってますもんね。殿が嫌なEVとか絶対に言うなよみたいな感じだったらしいですから。トヨタのアメリカの会見で、尾形聡彦さんというYouTube番組「Arc Times」の編集長で朝日新聞で海外特派員をやっていた記者が「なぜEVにきちんとシフトできないのか。このままでは日本は乗り遅れる」と質問したら、そこは豊田章男氏はいなかったけれども、別室で聞いていたらしいんですね。欧米の役員たちがいるのだけれども、「何であんな質問をするんだ」と言ってみんな尾形さんに会見後に集中砲火を浴びせたと。

佐高　質問を許すのかということ？

望月　EVの質問をするなと。トヨタ系の番記者はEVを聞くと怒るというのを知っているから、聞かないんだって。広報体制も章男さんにそれを言うと駄目だから、絶対その話はするなみたいになっている。今となっては笑い話みたいなものなんだけれども。

佐高　だから、「ばかな大将、敵より怖い」という最大のお手本で、それが今の日本のトップ企業なんだよ。面白いのは、明らかにトヨタをモチーフにした『トヨトミの野望』というのと『トヨトミの逆襲』という小説があって、この中で豊田章男と安倍晋三らしき人が出てくるわけよ。お互いがわがまま者で人の意見を聞けないから、この2人が合わない、ぶつかるということを書いているわけ。そういうのが財界のトップと政界のトップになってしまっているから、おしまいだよね。

「変わること」はいいことばかりではない

望月　今の時代を変えていくには、佐高さんのおっしゃるように、本田宗一郎さんの精神とか中村哲さんの精神をもう一度というのもわかるんだけれども、今、生きている人たちの中で、かつての角栄さんだったり、かつての本田さんだったり、ソニーの井深さんみたいな人が出てきて変えていくというふうにならないといけないと私は思います。

昔の人を取り上げて、素晴らしかったと称賛するのは一つのやり方としてはわかるんですけれども、世の中を大きく動かしていくためには、例えば私は尊敬していないけれども、（「2ちゃんねる」創設者の）ひろゆき氏はある種のカリスマ性とある種のインフルエンサーみたいな力を持ってしまっているじゃないですか。

佐高　私はカリスマというものを大事にしようとは思わないよ。本田だって自分もカリスマだと思っていないし、いろいろなことを言うけれども、角栄なり本田が出てきたころは、今よりもっとひどい敗戦直後の時代だよ。インフルエンサーは悪く変える場合もあるわけだから。ヒトラーだってインフルエンサーかという話じゃない。だから、そこを区別しないと駄目だということです。

望月　佐高さんの話を聞いていて感じるのは、昔のすごい人のことはわかります。ただ、今の時代を変えていくには、かつての井深さんとすごい似ているなとか、中村哲さん的な思いがあるなとか、まだまだ無名だけれども、まっとうで本当に世のため人のためになる、かつ今の経済の状況も変えていくとか、いろいろ素質を持ったまだ注目されていない若い人がいっぱいいると思うんです。今生きている人にもっとスポットライトを当てて、それが育っていけば、それこそ本田さんみたいな人になるとか、そういうカリスマ性です。

単に世の中を変える、ひろゆき氏的なインフルエンサーではなくて。本田さんというのは従業員の生活をきちんと支えつつ、世の中を変えていったみたいな人なんですよね？　そういう本田さんとか井深さんにつながるような人たちは、今の財界でも政治の世界でもまったくいないわけではない。いろいろな人から尊敬されるようなそういう人を盛り立てていけば、もしかして世の中がもう少し変わるのかなと思います。

佐高　だけれども、変わるときには悪く変わる場合もあるという警戒心を忘れると、変わること自体がいいとなってしまう。例えば岸田が終わった後、誰が出てくるか。もっとひどいのが出てくる場合もある。そっちに対する警戒心がこっちなんかは働くわけ。維新の会とかが出てくる可能性だってないわけじゃないでしょう。自民党でももっととんでもないのが出てくる可能性がある。だから、変わること自体をいいことだとは思わない。

望月　でも、今の流れを変える人が出てこなくてはしょうがないですよね。

佐高　望月さんを見ていると、変わること自体がいいことだという、それはちょっと心配だなという話だよ。

望月　今、日本の社会が全然よくなっていないじゃないですか。それを変えなくてはいけないんじゃないですか。じわじわ変えるにせよ、一気に変えるにせよ、今の政府とか首脳が考えている構図と本当に違うロジックを打ち出せる人を見つけなくてはいけないし、そういう人をメディアも含めて立てていかなくてはいけない。今だととにかく増税ありきで、軍拡ありきで、下手すると、否、もはや本当にアメリカに言われるままに戦争していく国に進んでいる。そこでメディアがやれることというのは、まったく真逆の方向性を打ち出しているのだけれども、声が小さくて取り上げられていない人たちを盛り立てていくしかないのかなと思うんですよね。

軍拡によって平和は築けないという中村さん的思想は当たり前のことなのだけれども、当たり前のことを政治でも財界でも、どの世界でも言っている人たちの声が大きくメディアでは取り上げられていないし、その声の扱いが小さい。

今、もっと表舞台に出てきてほしい人

佐高　望月さんがそれに値すると思って付き合っているような人にはどんな人がいるんですか。変えられるというより、発信力があって、まっとうな方向に人に伝えることができるという人は。

望月　はっきり言って、そういう意味では共産党はそうです。自民党・与党がやりとりをしていて一番怖いのは共産党だと言っているし、統一教会に限って言っても、一番メディアの中で書けているのは赤旗ですし、本質的に言うと共産党が政治の世界で言っていることがもっと大きく取り上げられればいいと思います。第二次世界大戦のとき、全政党が戦争賛成に回って、共産党だけが唯一戦争に反対したということを聞いても、組織力を持ってある程度ロジックで戦い、ぶれずに論をはっている。政治の世界で言うと、れいわ新選組や福島瑞穂さんなんかもそうなのでしょうけれども。そういう人たちをもっと取り上げなくてはいけないということなのかな。

佐高　もちろん共産党はそれなりにまともだけれども、アメリカに絡めて言うと、

共産党はアメリカ占領軍を「解放軍」と言ってしまったわけだよ。決定的に誤ったのは解放軍という規定。それはさっきの白井聡的言説で言えば、「アメリカ様」に最初になったのは共産党なんだよ。

東京新聞では共産党を盛り立てるような記事を書くことはないんですか。

望月　私は政治の記事は基本的に書かないから、自分のテーマに絡んでいる場合は記事にしたけれども、あまり議員を立てたくないというのが基本です。議員を立てたくないと言うわりには与党の言っていることは散々書いているなとは思うんだけれども……。私がいる社会部の中であまり国会議員の名前を使ってこういうことを言った、それに対してこう答えたと報じることはないですね。

桜疑惑のときとかは、田村智子議員の質疑が相当取り上げられたけれども、野党で福島さんとかが頑張っていても、いかんせんほとんどテレビなんかは俎上に載せないですね。

佐高　私は基本的に全肯定はあまりしたくないんだよ。

望月　政治家の？

佐高 政治家にしろ何にしろ。全否定はしているかもしれないけれども（笑）、基本的には部分否定、部分肯定が必要でしょう。

望月 それはそうでしょうね。

佐高 全肯定の危険性というのもあるんだろうなというふうには思う。

望月 どうしたいのかと言うと、中村哲さんみたいな人を持ち上げればいいんじゃないかと佐高さんはおっしゃるけれども、私からすると、感覚的にそれだけでは駄目だろうなということはわかります。中村さんのやってきたことは心を打つけれども、今、政府の危うい方向にファイティングスピリッツを持ってやろうとする、ボンと出てきて物を言うという動きがもっと取り上げられるといいですよね。政治家だけでは駄目で、財界にもいないことはないわけですからね。政府はどんどん軍拡に行かせようとしているけれども、やっぱりそれは違うなと、そういう報道が増えれば世の中の人はもうちょっと気づけますよね。

佐高 杉並区長の岸本聡子さんと話して、選挙のとき、「私の選挙ではありません。みなさんの選挙です」と言ったのに、一番なるほどなと思ったんだよ。選挙というのは選ばれる側ではなくて、選ぶ側の選挙なんだと。まどろっこしくてもそこらへんに足を据えてやるしかないでしょう。望月さんにはまだ先がある。私はあまりないから防御戦みたいになっているのかもしれないけれども……。

望月　岸本さんにはうちの代表がすごく期待をかけているんです。岸本さんは庶民派で、公共サービスの民営化に対してすごくおかしいと、新自由主義的なことに物申すリサーチをして出てきた人です。リサーチャーでありアクティビストだった人が出てきて、かつ女性という、ああいう人が区長になったというのはけっこう影響が大きいと思います。森沢恭子さんが品川区長になったことも連動していて、彼女たちが区長になったことで、各自治体の統一地方選とか、首長クラスを女性にしようという動きは加速している。自民党の中でもせいぜいこの人とこの人はいいかなということはあるけれども、岸本さんが出てきたみたいな小さな芽から、希望をつないでいく。

そうは言っても、岸本さんは岸本さんできっと弱点はあるだろうなということはいくつかはわかるのだけれども、そんなことはしょうがない、何でもできる人はいないわけだから、彼女がやっていることをうちはとても大きく扱っているんですね。それは正直やりすぎでは？　と思う部分もありますが、日本は政府側の報道が多すぎるので、それはそれで一つの手法としてはありかなと思います。首長クラスであいうリベラルな女性首長が増えれば、かなり空気は変わってきますよね。

佐高　岸本さんが当選した選挙が１８７票差だったということと、投票に来ない人も含めて区内の６割が反対派だと彼女は認識している。その中でやっていくというのは大変なことだと思うし、東京新聞の社長が推したいならどんどん大きく取り上げて、あなたは手助けしてあげればいいと思いますよ。

望月　あと、自民は手放しで称賛はできないけれども、政権交代が見えないと、自民の中でまともな何人かを見つけて、その人に頑張ってもらおうというのがありますよね。

それと私が注目しているのは、若者の政治参加を促す「ＮＯ ＹＯＵＴＨ ＮＯ ＪＡＰＡＮ」という団体の代表をしている能條桃子さん。能條さんは出てきたばかりの人で、何かを変えていくポテンシャルがあって、発信もするし、アクションもできる。彼女の場合は大学4年生から今の活動をはじめて、そこから2年ぐらい経っているのだけれども、人脈があるので、上の世代を引っ張り込んでやっていくんですね。そういう人たちを取り上げていくという方向性はあります。性暴力被害を受けた元自衛官の五ノ井里奈さんも、すごくアクションが速かったですよね。事件自体は2020年でしたが、その後彼女自身が提訴したり、署名を集めたりしはじめて、メディアも報道をはじめた。そのおかげで、防衛相の浜田靖一氏を中心にけっこう速く動いたと思うので、そういうカリスマ的に声を上げていく人たちを取り上げていくというのは、一つのやり方としてあるのかなと思います。メディアはそのぐらいでしか助けられないのかなというところもありますが。

今の若者は「批判アレルギー」

佐高　統一教会問題で思うのは、日本では「信じることはいいことだ」「信じることは美しい」とされている。最近福沢諭吉を読み直したんだけれども、「公正の論は不平の徒より生ず」ということを言っているのね。ただ、若い人たちは今言った不平の徒じゃない。

望月　今の若い子たちは本当に批判すること、されることが駄目です。私はX（旧Twitter）での発信をするけれども、10代の子はXは見ない。何でかというと、大人たちが右だ左だとけんかばかりしていますよねと言われる。いがみ合っていることに対する、それはある種の議論のふっかけ合いだと思うんだけれども、そういうことに対して拒否感を示す若い子がすごく多いというのを、ネットを分析している人から聞きました。そうすると、10代、20代の感覚では、Xはおじさんおばさんが見ているものだよねというふうになってしまっている。

そこで彼らが何を見るかというと、TikTokだったりするわけです。れいわ新選組なんかも発信しているけれども、TikTok上で今一番影響力があると言われているのが参政党です。参政党はネット分析がすごくうまくて、統一地方選前提にうちの近所でも10人ぐらい、オレンジ色の服を着た人たちがゴジラの着ぐるみと一緒に立っていたりして、すごいですよね。

何であれがTikTokで若者に受けるのか聞くと、さわやかに僕たちは未来の子どものことを考えているんですという、神谷宗幣氏の一瞬の言葉だけを切り取ってシェアしているんです。そうすると、ポジティブで明るい。TikTokは暗い話から行ってしまうと駄目らしいんです。基本ポジティブで明るくスタートしろみたいな形式があって、そういうのじゃないと、若者が入り口として受け入れてくれない。

昔だったら、もっと侃侃諤諤《かんかんがくがく》議論していたようなところが、今の若者からはけんかしているだけなんだよねと言われてしまう。でも、そこを参政党は上手くとらえて、そういう戦略で若者に入り込んでいるんです。佐高さん世代に比べれば私たち世代は議論が足りないと思うけれども、10代、20代になると、教育の影響もあると思うんですけれども、余計議論すること、批判的に物事を見たり、言うことにアレルギーを持ってしまっている。能條さんみたいな人を持ち上げていくのは大切だけれども、そういう意味では彼女のように、今の施策とか、政府のやっていることに物を申している人たちは、若者からするとある種ついていけないのかもしれないなと思いますね。そういう若者にどう伝えていけばいいのか……。

佐高　20代以下ということ？

望月　そうですね。

佐高　結婚しない人たちが増えているというのは、結婚というものもどこか争いごとがあるからかな。

望月　ぶつかり合うことへの拒否感みたいなものが、同じかもしれないですね。

佐高　ひきこもりというのは増えているの？

望月　最近の数字はわかりませんが、学校に行かない不登校の子どもたちの数は過去最大です。それはイコールひきこもりではないけれども、フリースクールはすごく増えましたね。行かなくてもいいという流れができつつあるのかもしれない。さっきの「不平の徒」ということからすると、不平も言えない子たちが増えている。

佐高　女性のほうが現状がおかしいと思う可能性が高いような気がする。今の社会が男性社会に作られてしまっているから、その中で何とか変えたいというのは、女性のほうがパワーがあるんじゃないでしょうか。それと、普段から男よりたたかれている。だから、私が批判した人でも、にこやかに返したりする人が多い（笑）。

男は猪瀬直樹みたいにキャンキャン言って、またすぐ反論を書けるけれども、宮崎緑（ジャーナリスト）とか奥谷禮子には、内心どう思っているのか知らないけれども、「先生の本はいつも読ませていただいています」なんて言われて、ぎょっとなったりする（笑）。

望月　医学部入試の女性差別問題がありましたけれども、私のころでも、同じ慶應を出ても、学部300人のうち商社に総合職で行ける女性は片手くらいだったり、一方で男性が何百人単位で行っていました。こんなに就職差別があるんだと思っていましたね。大学まで行ってもこんなに違うのかということをまざまざと見ていました。まだまだ世界に比べると女性の地位は政財界でも弱いし、今の自民党政権は、猪口邦子議員と上川陽子議員、これしか女性がいないのかと議員総会を見ていてもわかる。大学を出た瞬間に女性差別がすさまじいなということを感じるから、もうちょっと何とかできるだろうというのは、女性のほうが自らの体験から起こりやすいのかもしれないですね。だから、確かに最近元気なのは女性だというのは、変えなきゃという使命感とか怒りがあるから、自分の体験として何か変えていこうという気持ちがあるからかもしれません。

理想と現実の間をどう埋め合わせるか

望月　佐高さんは、現実と日々対峙しなければいけない中で、理想と現実をどう埋め合わせているのですか。

佐高　早野透の師匠の丸山眞男さんの本の中に、「Let's go whistling under any circumstance」という言葉がある。「どんな状況の下でも口笛を吹いていこうや」という、それは丸山さん自身の言葉ではなくて誰かの言葉だと思うんですけれども。その言葉を時々口ずさむ。

それと、この間落合恵子さんと澤地久枝さんの対談が朝日新聞に出ていて、そのとき澤地さんがすごいなと思ったのは、「私は自分の辞書から『絶望』という字を消したい」と。あまり言いたくはないけれども、私もときには本当にくずおれますよ。そのときに、私は演歌なんか歌うから駄目なのかもしれないけれども、でも、そのある瞬間はくずおれてもいいんだというふうに思う。常に緊張して、希望を持って生きなければいけないという話ではないと思っています。城山三郎さんもすごく「迷う人」だった。表舞台に立ったら絶対に形の崩れない男でもあった。でも、舞台裏ではうじうじしていた、と言っては悪いかな（笑）。

望月　これからどうしても書きたい人物はいますか。

佐高　残された時間の中でどうしても書きたいと思うのは、土井たか子さんのこと。土井さんは颯爽としているでしょう。ところが、土井さんのことを体を張って守ってきた五島昌子さんという秘書がいるんだけれども、彼女がいみじくも言っていたことがあります。クレヨンハウスで私と土井さんが対談することになった。私と土井さんだから、別に準備も要らないわけですよ。ところが、前の日に作ったメモが見当たらないといって、ずっと探しているわけです。

望月　土井さんが？

佐高　土井さんが。そうしたら五島さんが、土井さんは「グズたか」と言われているんですよと言ったんですよ。これはあまり公には言われていないんだけれども、でもぜひ土井さんの評伝に書こうと思っている。つまり、颯爽たる土井たか子にも

「グズたか」の側面はあるわけ。土井さんのしおれた姿も見たこともあるよ。

望月　土井さんの弟子である辻元清美さんも、「総理、総理」と国会質疑で追及しているイメージがありましたけれども、何回かお会いするうちに非常に繊細で、傷つきやすい人だということがわかった。いろいろな脅迫とか嫌がらせを受けていますけれども、毎回毎回それに非常に傷ついているということを私は知っています。政治家は国会質疑で見せている姿と全然違う弱さというのがあって、でも、そういう生々しい人間を見ると、他人の痛みに寄り添える人なんだなというのはよくわかりますよね。

佐高　望月さんも一時期総スカンだったときがあったから痛切に感じるだろうけれども、ちょっとした励ましでもうれしいときがあるよね。

もう一つ余計な話。福島瑞穂と辻元清美を、私は両方よく知っているわけだけれども、辻元清美は本当に神経質ですよ。でも、演説しているときにヤジが入るでしょう。ヤジにぱっと答えられるのは辻元ですよ。これまで見た政治家の中では、辻元と田中康夫が見事だと思った。ちゃんと見て聞いている。アドリブが利くんです。

望月　福島瑞穂さんはどうなんですか。

佐高　瑞穂はアドリブが利かないわけではないけれども……。

望月　瑞穂さんは疑問があると携帯に電話がかかってきて、「望月さんどう思う?」と訊いてくる。最初は私のアドバイスを求めているのかなと思うんだけれども、ずっと初めから終わりまでしゃべって、そうよね、だからやっぱりこうだと思うの、で電話が切れる（笑）。私のアドバイスを聞くというよりも、頭の中を整理するために電話してきたんだなと思います。悩んでいるようで悩んでいないというか、確かにパワフルだし、強さは感じますよね。

佐高　福島瑞穂は私に繰り返し「土井さんは不器用だったですよね」と一生懸命言うわけ。自分が不器用だから、そういうことを言うわけです。「うーん、そうかな」とか私は言っていたんだけれども、社民党に残るというのも、ある意味福島瑞穂だからですよね。辻元は出ていっちゃった。そういう器用さがいいのか悪いのかというのはまた別の話になる。

望月　理想と現実という意味では、みんな実際はそうなんだということですかね。

佐高　早野透の奥さんは、辻元をものすごくかわいがって、彼女が落選したときに「清美ちゃん、この部屋をいつでも使っていいから」と言って、早野の実家の神楽坂の部屋を空けていた。

望月　佐高さんがすごいのは、本当に芯が変わっていなくて、佐高さんが落ち込んでいるのも私は見たことがなかったのですけれども、今回の早野さんの訃報だけはさすがに応えていらっしゃるんだなと感じています。それでも毎日毎日書いている佐高さんを奮い立たせているものは何なのかが気になります。

今知識人たちはぶれている人ばっかりじゃないですか。テレビのコメンテーターなんかも、政権の風が右に行くと、どんどん右のような話をする。官房機密費がどういうふうに使われているか、いつか明らかにしてほしいんですけれども、おそらく一部の芸能人とか、メディアの関係者は機密費によって相当動かされてきたんじゃないかと思っています。でも佐高さんはこういうことに毒されなかったじゃないですか。

佐高　私は城山三郎とか、山田太一とか、あるいは私の師匠の久野収とか、そういう人を意識しているわけです。そういう人たちに恥ずかしい生き方はできない。別に安倍とかを相手にしているわけじゃない。久野先生が80をすぎてからデモや集会に一緒に行ったとき、私なんかが久野先生のかばんを持とうとするわけです。でも絶対に持たせない。

あと、自分が主催者の集会でなければ、久野先生は次どこかで集会をやっているからと、別の集会に行くのです。その集会では後ろのほうにいるわけですが、久野収が来たとなったら、主催者はあわてて前へ来ていただいてぜひ一言、ということになるでしょう？　でも久野先生は絶対にそういうときにしゃべらなかった。福島瑞穂にこの話をすると、佐高さん、その話は耳にたこが出るくらい聞かされたと言われる（笑）。主催者でないときに出しゃばらないことと、私は瑞穂に散々言っているらしい。

望月　佐高さんが怒られるんですか。

佐高　そう。

久野先生は88歳で亡くなったんだけれども、最後まで怒られていましたからね。

望月　どういうことで怒られるんですか。

佐高　そんなことも勉強していないのか！　とか、知らないような哲学者の話を言うわけですよ。その屈辱に耐えた、崖を登ったというか、それはありますよ。

小田実さんが主催したある日韓の文化人のシンポジウムに出てくれと言われて行ったら、隣が久野先生だった。横だから面と向かって話をするわけではないからいいけれども、でもものすごく意識するわけですよ。すごく苦痛な時間だった。

そのシンポジウムで、久野先生の反対側に中山千夏がいた。シンポジウムが終わったあと、千夏ちゃんから「師弟というのはすごいものだなと思った」と言われたんです。「久野さんが佐高さんがしゃべることにいちいちうなずいていた」と教えてもらって、ジジイもたまにいいところあるなと思った（笑）。冗談ですよ。思想を貫くことももちろん大切なんですけれども、生き方が大事ということ。80すぎて弟子にかばんを持たせない、そういう生き方をしたいと思います。

あとがき

佐高信

最近、高世仁と共著で『中村哲という希望』（旬報社）を出した。副題が「日本国憲法を実行した男」である。

その第一章が「戦わないために闘う」で、第四章が「平和とは戦争がないことではない」。

アフガニスタンの砂漠を緑地に変えた中村の営みこそが日本の希望であり、日本の歩むべき道だろう。

中村の生き方をたどったドキュメンタリー映画『荒野に希望の灯をともす』を見た女子高生が、

「信頼できない大人ばかり見てきたけれども、こんなに信頼できる大人がいたんですね」

と言ったという。

中村は私より1歳下だから、私も「大人」になるのだろう。望月さんはこの女子高生よりかなり上だが、彼女の眼から見て私は「信頼できる大人」に入れてもらえるのかどうか。いずれにせよ、私は中村を軸にして「この国の危機の正体」を明らかにしようとした。

望月さんと私は2020年7月に『なぜ日本のジャーナリズムは崩壊したのか』（講談社＋α新書）を出したが、それから4年近く経って、いま日本は安倍（晋三）派を中心とした自民党の裏金疑惑で揺れている。

イラクへの自衛隊派遣をめぐって国会が紛糾していたとき、中村は参考人として招かれて、自衛隊派遣は「有害無益」だと断言した。

2001年10月13日のそのとき、自民党の議員から中村に対して強烈なブーイングが浴びせられたのである。

亀井善之は中村に、発言を取り消せ、と迫った。

それに対して中村は、アフガニスタンへの空爆も同時多発テロと同じレベルの蛮行だと答えて、激昂した亀井らが中村に激しい野次をとばし、中村は発言を続けられなくなった。

特別委員会の委員長だった加藤紘一が、

「参考人の発言中の不規則発言はお控えください」

と必死に制止しなければならないほどだった。

中村は２００８年11月５日に参議院の「外交防衛委員会」にも招かれている。

そして、やはり自衛隊の派遣は「有害無益」で「百害あって一利なし」と答え、次のように続けた。

「自衛隊派遣によって治安はかえって悪化するということは断言したいと思います。これは、米軍、ＮＡＴＯ軍も治安改善ということを標榜いたしましてこの六年間活動を続けた結末が今だ。これ以上日本が、軍服を着た自衛隊が中に入っていくと、これは日本国民にとってためにならないことが起こるであろうというのは、私は予言者ではありませんけれども断言いたします。敵意が日本に向いて、復興、せっかくのＪＩＣＡの人々がこれだけ危険な中で活動していることがかえって駄目になっていくということは言えると思います。

してはならないということは、これは国連がしようとアメリカがしようとＮＡＴＯがしようと、人殺しをしてはいけない、人殺し部隊を送ってはいけない、軍隊と名前の付くものを送ってはいけない、これが復興のかなめの一つではないかと私は信じております。そのことは変わりません」

この中村を否定し、野次をとばした者たちが裏金疑惑で真っ黒な自民党議員であり、統一教会の反共ウイルスおよび改憲ならぬ壊憲菌におかされているのである。ならば、裏金や統一教会問題解決のためにも、広く、深く、中村の思想と実践を伝えなければならない。

アフガニスタンのジャララバード市にナカムラ広場があり、中村の大きな肖像が掲示されている。

中村の考えとやったことを忘れないように、私は中村を紙幣の顔にすることを提案している。例えば1万円札に中村の写真を入れるのである。

そう話したら、前川喜平が、

「日本がやらなかったら、アフガニスタンが先にやるかもしれませんね」

と応じた。

しかし、中村にブーイングを浴びせた自民党の議員が政権を担っていたら、それはまったく考えられない。

彼らを追放することと中村を紙幣の顔にすることはメダルの裏表なのである。

この本の第三章は「軍拡から『生活《いのちき》』を守る」だが、「いのちき」とは大分の方言で、生活、暮らしのことである。それを私は『豆腐屋の四季』や『狼煙を見よ』の作家、松下竜一に教えられた。

軍備を拡張して「いのちき」、つまり生活は守れない。それを実践してみせた中村哲に学んで、私たちはこの道を歩んでいきたい。私や望月さんから、さらに先の世代へ、これが伝えられることを私は望んでいる。

【著者】

佐高信（さたか　まこと）

評論家。1945年山形県生まれ。慶應義塾大学法学部卒業。高校教師、経済誌編集長を経て執筆活動に入る。著書に『逆命利君』『城山三郎の昭和』『総理大臣 菅義偉の大罪』『田中角栄伝説』『石原莞爾 その虚飾』『池田大作と宮本顕治』、共著に『安倍「壊憲」を撃つ』『自民党という病』『官僚と国家』『日本の闇と怪物たち 黒幕、政商、フィクサー』など多数。著作集に『佐高信評伝選』（全7巻）。望月衣塑子との共著に『なぜ日本のジャーナリズムは崩壊したのか』がある。

望月衣塑子（もちづき　いそこ）

東京新聞記者。1975年東京都生まれ。慶應義塾大学法学部卒業。千葉、神奈川、埼玉の各県警、東京地検特捜部などを担当し、事件を中心に取材する。経済部などを経て社会部遊軍記者。著書に『新聞記者』『報道現場』『武器輸出と日本企業』、共著に『同調圧力』『自壊するメディア』『日本解体論』など。

平凡社新書１０５４

この国の危機の正体
宗教、軍拡、メディア、腐敗する世襲

発行日――2024年３月15日　初版第１刷
　　　　　2024年５月20日　初版第２刷

著者――佐高信・望月衣塑子

発行者――下中順平

発行所――株式会社平凡社
〒101-0051　東京都千代田区神田神保町3-29
電話　(03) 3230-6573［営業］
ホームページ　https://www.heibonsha.co.jp/

印刷・製本―図書印刷株式会社

装幀――菊地信義

ISBN978-4-582-86054-2

平凡社新書　好評既刊！

789 安倍「壊憲《かいけん》」を撃つ　小林節　佐高信
危機に立つ憲法。暴走する安倍政権が戦争法案の先に目論んでいるものとは。

809 人間が幸福になれない日本の会社　佐高信
日本企業を蝕む病根はどこにあるのか。変わらぬその封建性にメスを入れる。

818 日本会議の正体　青木理
憲法改正などを掲げて運動を展開する〝草の根右派組織〟の実像を炙り出す。

872 保守の遺言 JAP.COM衰滅の状況　西部邁
稀代の思想家が〝死者の眼に映る状況〟をつづった絶筆の書。自裁の真意とは。

895 公文書問題と日本の病理　松岡資明
権力の中枢で何が起きているか。公文書問題の核心を衝き、病根を抉る。

897 自民党という病　佐高信　平野貞夫
自民党に巣食う病とは。数々の秘史を取り上げながら、その病根にメスを入れる。

898 内閣総理大臣の沖縄問題　塩田潮
戦後の歴代政権の沖縄問題への取り組みを検証し、その知られざる軌跡を追う。

906 知っておきたい入管法 増える外国人と共生できるか　浅川晃広
入管法改正の背景にある、増える外国人観光客・労働者。法知識をやさしく解説。

平凡社新書　好評既刊！

908
平成史
保阪正康
平成は後世いかに語られるか。昭和との因果関係をふまえ、時代の深層を読む。

917
韓国　内なる分断
葛藤する政治、疲弊する国民
池畑修平
隣国が抱える内憂の実態。NHK前ソウル支局長がその深層に迫ったルポ。

943
教育現場は困ってる
薄っぺらな大人をつくる実学志向
榎本博明
教育界の現状や教育改革の矛盾を指摘し、学校教育のあり方に警鐘を鳴らす。

951
池田大作と宮本顕治
「創共協定」誕生の舞台裏
佐高信
「創共協定」という〝事件〟の裏に渦巻く思惑と策謀を描き、日本人の軽信を衝く。

956
経済危機はいつまで続くか
コロナ・ショックに揺れる世界と日本
永濱利廣
落ち込んだ景気はいつ回復するのか。データや事例を駆使しつつ、その後を予測！

963
戦後教科書運動史
俵義文
真実の教育と子どものための教科書を求めてたたかった70年の軌跡をたどる。

966
東電原発事故　10年で明らかになったこと
添田孝史
独自入手の事故調文書や裁判記録を元に描く世界最悪レベルの原発事故の深層。

967
満洲国
交錯するナショナリズム
鈴木貞美
かつて東アジアに存在した異形の傀儡国家・満洲国の実像に迫る最新の総合研究。

平凡社新書　好評既刊！

1000 日本の闇と怪物たち　黒幕、政商、フィクサー　佐高信 森功
許永中、葛西敬之、竹中平蔵、統一教会……政財官の裏に躍ったキーマンを追う。

1001 半藤一利　わが昭和史　半藤一利
"昭和史の語り部"はこうして生まれた。歴史探偵が最晩年に語った自伝。

1005 新中国論　台湾・香港と習近平体制　野嶋剛
「台湾・香港」の状況を知ることで深刻化する「中国問題」の実像に迫る一冊。

1013 新版　少年犯罪　18歳、19歳をどう扱うべきか　鮎川潤
2001年刊行の旧版を全面改訂。この間の動きと改正少年法の変更点などを解説。

1017 NATO　冷戦からウクライナ戦争まで　村上直久
ロシアはなぜウクライナに侵攻したのか。世界最大の軍事同盟の歴史でわかる！

1022 近現代日本思想史「知」の巨人100人の200冊　東京女子大学丸山眞男記念比較思想研究センター 監修　和田博文・山辺春彦 編
文明開化から現代まで、100人の主著から近現代思想を一望する必読・必携入門書。

1025 政治家の酒癖　世界を動かしてきた酒飲みたち　栗下直也
人間関係の潤滑油とされる酒。古今東西の政治家はいかに付き合ってきたのか。

1027 憲法九条論争　幣原喜重郎発案の証明　笠原十九司
戦争放棄条項を提唱したのは時の首相だった。幣原発案否定説を徹底批判。

平凡社新書　好評既刊！

1028 思考停止という病理《やまい》 もはや「お任せ」の姿勢は通用しない 榎本博明
教育から政治・社会問題に至るまで考察を深め、思考停止に陥る日本人に警鐘を鳴らす。

1032 科学技術の軍事利用 人工知能兵器、兵士の強化改造、人体実験の是非を問う 櫛島《ぬでしま》次郎
古今東西、ともに発展してきた科学技術と軍事開発。現状喫緊の課題を考える。

1034 ウクライナ戦争 即時停戦論 和田春樹
ロシアとウクライナに必要なのは、武器でも金でもない。停戦交渉の場である！

1035 「我がまち」からの地方創生 分散型社会の生き方改革 石破茂 神山典士
全国各地で地域に根付いて活躍する人々から、新たな地方創生の真髄を知る。

1037 孤独とつながりの消費論 推し活・レトロ・古着・移住 三浦展
多様化する現代の「脱消費的消費」。最新調査から背後の孤独感が見えてきた。

1044 日本の会社員はなぜ「やる気」を失ったのか 渋谷和宏
「熱意ある社員」は6％!?日本企業のマネジメントの問題点を丁寧に検証。

1047 デジタル教育という幻想 GIGAスクール構想の過ち 物江潤
デジタル化は本当に必要か？GIGAスクール構想で混乱する教育現場の実態。

1048 アメリカのイスラーム観 変わるイスラエル支持路線 宮田律
イスラーム文化の影響を多く受けながら、なぜアメリカは攻撃をやめないのか。